JN086956

Unity 2021 入門

最新開発環境による簡単3D&2Dゲーム制作

荒川巧也／浅野祐一

&IDEA
Entertainment

SB Creative

本書に関するお問い合わせ

この度は小社書籍をご購入いただき誠にありがとうございます。小社では本書の内容に関するご質問を受け付けております。本書を読み進めていただきます中でご不明な箇所がございましたらお問い合わせください。なお、お問い合わせに関しましては下記のガイドラインを設けております。恐れ入りますが、ご質問の際は最初に下記ガイドラインをご確認ください。

ご質問の前に

小社 Web サイトで「正誤表」をご確認ください。最新の正誤情報を下記の Web ページに掲載しております。

 本書サポートページ
https://isbn2.sbcr.jp/10982/

上記ページの「正誤情報」のリンクをクリックしてください。なお、正誤情報がない場合、リンクをクリックすることはできません。

ご質問の際の注意点

・ご質問はメール、または郵便など、必ず文書にてお願いいたします。お電話では承っておりません。
・ご質問は本書の記述に関することのみとさせていただいております。従いまして、○○ページの○○行目というように記述箇所をはっきりお書き添えください。記述箇所が明記されていない場合、ご質問を承れないことがございます。
・小社出版物の著作権は著者に帰属いたします。従いまして、ご質問に関する回答も基本的に著者に確認の上回答いたしております。これに伴い返信は数日ないしそれ以上かかる場合がございます。あらかじめご了承ください。

ご質問送付先

ご質問については下記のいずれかの方法をご利用ください。

✈ Webページより

上記のサポートページ内にある「この商品に関する問い合わせはこちら」をクリックすると、メールフォームが開きます。要綱に従って質問内容を記入の上、送信ボタンを押してください。

✈ 郵送

郵送の場合は下記までお願いいたします。

〒106-0032
東京都港区六本木2-4-5
SBクリエイティブ　読者サポート係

◾ はじめに

　たくさんのUnity関連の書籍がある中で、この本を手に取っていただきありがとうございます。この「Unity2021入門」は、最新のUnityのバージョンであるUnity2021に対応した入門書になっています。この入門書の内容を理解すれば、今後読者の皆様がどのようなコンテンツ制作を行うにせよ、最初のスタート地点に立つことができる書籍になっていると筆者は考えています。

　Unityは、無料で様々なプラットフォームにコンテンツ制作を行える強力なツールです。インターネット上にはたくさんのUnityに関する情報があり、Unityで作られたコンテンツの情報も多いでしょう。

　最近では、ゲーム制作だけでなく、自動車業界や建築業界などのゲーム以外の業界でUnityが採用されるケースが増えています。例えば、自動車業界での採用例をあげると自動車の新しいデザインを検討する際に、現実世界で自動車の新しいデザインを試すには、非常に費用がかかりますが、Unityを使い新しい自動車デザインの3DCGをVR空間上に表示して確認するという形で使用されています。これは、ほとんど費用はかかりません。さらに、3DCGであれば、デザイン変更も簡単に行えます。

　読者によって、Unityでこれから取り組みたいことはそれぞれ違うと思います。しかし、Unityを学ぶことは間違いなく読者の皆様の可能性を広げてくれるでしょう。

　Unityのような無料で使える強力なツールは、個人や小さな組織に非常に大きな力を与えました。大学などの教育機関では、Unityの授業が学校のカリキュラム内で提供されています。さらに、様々な研究がUnityで使われており、その研究結果が発表されています。昨今の小さな組織が作るインディーズゲームが大きく注目される背景には、Unityなどの強力なツールが無くてはならなかったものでしょう。もちろん、大きな会社でも、Unityを採用してコンテンツ制作を行っている実績はたくさんあります。今後もUnityを使えるスキルは非常に重要になってきています。このトレンドは今後も続いていくでしょう。

　この本を手に取ってくれた読者の皆様は、Unityを学びたい気持ちから、この本を手に取ってくれたのだと思います。ぜひ、今の気持ちを大切に一歩一歩学んでください。筆者たちは、この本を通してコンテンツ制作を作ってみたい人に本気で貢献したいと考えて今回執筆させていただきました。この本を通して、その気持ちに貢献できたら本当にうれしいです。Unityは本当にできることが多くて、きっと壁にぶつかることもあるでしょう。その場合はインターネット上で調べてみてください。だいたいの場合、有益な情報が手に入ります。

　最後に、Unityは今後も新しい機能がどんどんと追加されていきます。Unityと今後も付き合っていくには、どんな機能が入ったのかを興味深く勉強していく姿勢が必要になります。そういった意味で筆者たちも常に勉強を続けている状態です。ぜひ一緒にUnityコミュニティを盛り上げ、Unityを使い素晴らしいコンテンツがどんどん出てくる世の中になれば本当にうれしいです。

2021年7月

荒川巧也　浅野祐一

Contents

Chapter 3

Unity を使ってみよう！

Chapter 4
2Dゲームを作ってみよう！

Chapter 5

ゲームのUIを作ってみよう！

Chapter 6

3Dゲームを作ってみよう！

Chapter 7

スマートフォン向けに改良しよう！

Chapter 1

Unity をはじめる準備

1-01 Unityでできることを知ろう！

この章では実際にUnityを使ってゲーム作りを始める前に、Unityを取り巻く環境や、なぜUnityが支持されているのかを見ていきましょう。実際にUnityに触れる前に概要を知っていれば、より興味深くUnityを勉強することができるでしょう。

1 ゲーム作りを行う環境が揃ってきた

今ほど個人や少数の組織でゲーム制作を始めるチャンスに恵まれた時代はありません。AppStoreやGoogle Playといったアプリ配信のインフラの普及や、以前に比べて高性能なパソコンが安価で手に入るなど、環境面でもゲーム作りをサポートしてくれています。

また、スマートフォンが普及したことにより「自分のスマートフォンで動くゲームを作りたい」と考える人が増えてきたことも大きいでしょう。このような背景から、ゲーム作りに挑戦したいと思う需要が拡大しています。

2 Unityがなぜ今支持されているのか

環境が整ってきたことを背景として、ゲームを制作してみたいという需要は増えています。とはいえ、ゲーム制作には非常に高度なプログラミング知識をはじめとして、数学や物理学などさまざまな分野の専門的な知識が必要になります。しかし、さまざまな分野の専門知識と高度なプログラミング知識がなくとも、ゲームを作ることを強力にバックアップしてくれるのがUnityなどのゲームエンジンです。

従来、Unityのようなゲームエンジンはプロの開発会社が使うもので、ライセンス使用料が数百万円から数千万円という高価なもので、とても個人や小さな組織が気軽に使えるものではありませんでした。そもそも、ゲームエンジン自体が各社が作るゲームのノウハウにつながるため、ゲーム会社ごとに内製のツールを持ち、一般的に公開されるものではありませんでした。

Unityのすごいところは、このように本来簡単には使用することができなかったゲームエンジンを一般に公開し、誰もが手軽にスタート地点に立てるようにしたことです。

では、なぜ数あるゲームエンジンがあるなかでUnityが支持されているのかを考えてみましょう。

- 個人や年商10万米ドル以下の組織は、無料でUnityを使ってゲーム作りを行えること。
- マルチプラットフォームに対応していること。
- MayaやBlenderなどの他のツールとの相性がよいこと。
- 全世界で月のアクティブユーザーが100万人以上であり、情報が沢山あること。
- アセットストアでゲームで使用する素材などを簡単に購入して追加できること。

個人や年商10万米ドル以下の組織は無料で使える

Unityは強力なゲームエンジンであるにもかかわらず、ゲーム制作に必要な機能を個人や年商10万米ドル以下の組織は「無料」で使うことができます。無料でUnityを使ってゲームを作り、お金を稼いでも問題ありません。個人や小規模な団体であれば無料で使い始めることができるので、「とりあえずUnityでゲームを作ってみよう！」という挑戦が可能になります。つまり、気軽にゲームを作ることができるのです。

マルチプラットフォームに対応

昨今は、スマートフォンのゲームなら「Android/iOS両方対応」などマルチプラットフォームに対応したものが大部分を占めています。しかし、本来であればAndroidならJava、iOSならSwiftというプログラミング言語を使って作るのが一般的で、そのプラットフォームに合わせて移植していく必要がありました。しかし、企業であれば移植作業が人件費などのコストになってしまいます。そもそも各プラットフォームにより特別な調整作業が発生する可能性も高いのです。

Unityは、作成したゲームをワンクリックで、それぞれのプラットフォームに合わせた形でゲームデータを作成してくれます（コンシューマ向けゲーム機に関してはプラットフォームを提供している企業とのライセンス契約などが必要になります）。そのため、簡単にマルチプラットフォームでゲームを作ることのできるUnityは、企業にとって非常に魅力的です。また個人でゲームを作る場合でも、特別な各プラットフォームの知識がなくともさまざまなプラットフォーム向けのゲームを作ることができるのは、非常に魅力的です。

そして、Unityは次々と新しく出てくるプラットフォームに対応する努力を続けています。そのため、今後また新しい魅力的なプラットフォームに対応してくれる可能性は非常に高いです。

Unityは現在、以下のプラットフォームなどに対応しています。

table ● 主な対応済みのプラットフォーム

Windows	PlayStation シリーズ
macOS※	PlayStation VR
iOS	Xbox シリーズ
Android	Nintendo 3DS
Linux	Nintendo Switch
tvOS	Stadia
Android TV	Oculus Rift
WebGL	

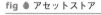
他のツールとの相性がよい

　MayaやBlenderをはじめとしたモデリングツールとの相性もよく、それらのツールで作ったモデルを簡単にUnityに追加してゲームを作ることができます。ゲーム開発に必要なツールは、「Unityに対応」を1つの強みとして売りにしているケースも出てきています。

月のアクティブユーザーが100万人以上であり、情報が沢山ある

　Unityを使ってコンテンツ作りを行っている開発者は、全世界で月あたりのアクティブユーザーが100万人以上います。「開発者が多い＝情報が多い」ということになります。そのため、インターネット経由でゲーム作りに必要な情報が簡単に手に入るのも、Unityでゲーム作りを行う強みとなります。

　そして、Unity Technologies社自身が開発者同士の情報交換を後押ししていることです。開発環境によっては、情報を公開すること自体を禁止する場合もありますが、Unityはそのようなことはありません。

アセットストアでゲームに使用する素材を入手できる

　ゲームを作るにはさまざまな素材が必要になります。Unityにはアセットストア（Asset Store）という、ゲームで使用するモデル素材や音楽素材、プログラムを書かなくともゲーム作りを行えるツールなどが、無料から有料のものまで簡単に入手できます。アセットストアで配信される素材はプロが作ったものばかりなので、個人であっても本格的な素材を使いながら、ゲーム作りを行うことができます。

　また、アセットストアは規約として、入手した素材を使ってゲームを公開してお金を稼いでもまったく問題がないことになっています。

fig ● アセットストア

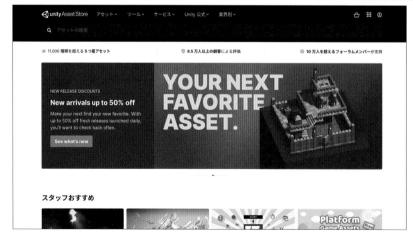

1-02 Unityをインストールしよう！

最新のUnityをインストールして、実際にゲームを作る準備をしていきましょう。

1 Unityをダウンロードする

Unityの公式サイトにアクセスして、インストーラをダウンロードします。本書では、Personal版を使用します。

> **url** Unity公式サイト
> https://unity.com/ja

fig ● 公式サイトからダウンロード開始

1 はじめるをクリックする

fig ● Personal版を選択する

1 個人向けをクリックする

2 はじめるをクリックする

fig ● インストーラをダウンロードする

① 始めようをクリックする

② 同意してダウンロードするをクリックする

▷ **Unityで開発する際の動作環境**  `Tips`

　Unityは、「Siera(10.12)」以降のmacOS、もしくは「Windows 7 SP1」以降のWindows（64ビット）に対応しています。macOSおよびWindowsのサーバー版では動作確認されていませんので注意してください。また、DirectX 10相当（シェーダーモデル4.0）の性能を持つグラフィックスチップが必要です。これは、2006年以降に生産されたものが目安となります（一部の機能の使用には、それをサポートするGPUを要します）。詳しくはUnityの公式サイトなどでご確認ください。

---

2 **Unityのライセンス**

　　Unityのライセンスは、無料のPersonal版と有償のPlus/Pro/Enterprise版から成り立っています。ゲームエンジンとして使える性能や機能はまったく同じです。主な違いはPersonal版は個人か年商が10万米ドル以下の組織しか使えないということです。また、有償版では、優先的なバグ対応をはじめ、本格的なゲームを作る際に必要なサポートを受けることができます。

table ● Unityのライセンス料 (2021年6月現在)

Personal	無料
Plus	年額43,995円
Pro	年額198,000円
Enterprise	月額220,000円（10シート）

　　iOSやAndroidへの書き出しもPersonal版から行うことができます（その場合は、ゲームの起動時にUnityロゴのスプラッシュスクリーンが表示されます）。有償版の使用者がiOSやAndroid向けのゲームを制作して公開する場合は、ゲーム起動時のUnityロゴのスプラッシュスクリーンを非表示にできます。

3　インストール手順

　ここからは、Unityのインストール手順について説明します。なお、インストールの際はインターネットにつながっていることを前提とします。

インストーラの実行（macOS版）

　先ほどダウンロードしたインストーラを起動してください。Unity Hubのインストール画面が開くので、使用条件を確認し、Agreeをクリックしてインストールを進めていきましょう。

fig ● Unityのインストール①

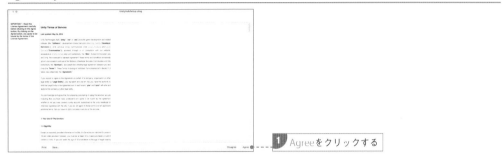

　Unity HubをApplicationsにドラッグ＆ドロップします。

fig ● Unityのインストール②

　Unityのインストールは、Unity Hubを通じて行います。最新バージョンのインストールはもとより、以前のバージョンのインストールを行うことも可能です。

「アプリケーション」フォルダー開いて、Unity Hubをダブルクリックして起動します。

fig ● Unityのインストール③

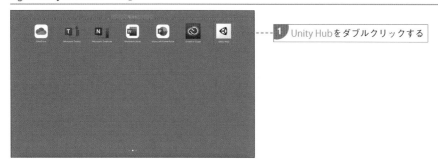

インストールファイルに対する警告のダイアログが表示された場合は、確認のうえ開くをクリックして先に進みます。

fig ● Unityのインストール④

Unityのインストールを行います。保存先を指定して、インストールをクリックしてください。保存先は通常はデフォルトのままで大丈夫です。ここでは、Unity2020.3が自動でインストール後、今回使用するUnity2021.1を追加でインストールします。

fig ● Unityのインストール⑤

Unityを利用するためには、Unity IDが必要です。Unity IDを作成します。ユーザーネームとメールアドレス、パスワードを入力して、利用規約を確認したうえでチェックし、Unity IDを作成をクリックします。すでにUnity IDを所有している場合は、すでにUnity IDを所有しているをクリックしてサインインを行ってください。

また、ここで入力したメールアドレスに確認のメールが送付されます。メール内のLink to confirm emailのリンクをクリックし、メールアドレスとパスワードを入力してサインインを行ってください。

fig ● Unityのインストール⑥

Unityのインストールが行われます。また、ここではサンプルゲームをインストールすることもできます。ゲーム作りの参考になるので、ぜひサンプルゲームをインストールしてみてください。FPSを選択して、次へをクリックしてください。

fig ● Unityのインストール⑦

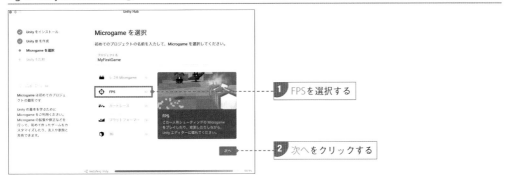

Unityがインストールされるのを待ちましょう。インストールが完了したら、UNITYを起動をクリックしてください。

UNITYを起動をクリックする

Unityが起動します。実行ツールのプレイをクリックすると、サンプルゲームをプレイすることができます。実行中にプレイをクリックすると、サンプルゲームを終了することができます。

fig ● Unity のインストール⑨

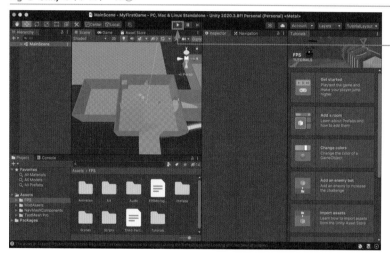

プレイをクリックすると
ゲームが実行される

本書の執筆時点（2021年6月）では、ダウンロードしたインストーラを実行すると、Unity 2020.3がインストールされます。Unity Hubから、最新版のUnityをインストールすることができます。最新のUnity 2021のインストールを行いましょう。あわせて、iOSやAndroid用のモジュールもインストールします。

インストールしたバージョンのUnityをそのまま使用する場合は、30ページのTipsを参考にして、iOSやAndroid用のモジュールなどをインストールしてください。

■ 最新版のインストール（macOS版）

Unity Hubを開き、画面左側のインストールをクリックし、続けて画面右上のインストールボタンをクリックします。

fig ● 最新版のインストール①

1 インストールをクリックする　　　2 インストールをクリックする

「最新正式リリース」からインストールするバージョンを選択します。ここではUnity 2021.1.7f1を選択しています（バージョンは随時更新されるので、その時点の最新のものを選択してください）。選択したら、次へをクリックします。

fig ● 最新版のインストール②

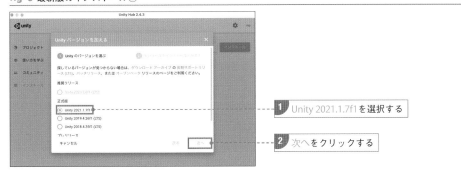

1 Unity 2021.1.7f1を選択する

2 次へをクリックする

インストールするモジュールを選択します。Visual Studio for Mac、Android Build Support、Android SDK & NDK Tools、OpenJDK、iOS Build Supportをチェックして、次へをクリックします。

fig ● 最新版のインストール③

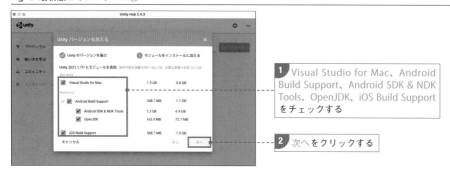

Visual Studio for Mac、Android Build Support、Android SDK & NDK Tools、OpenJDK、iOS Build Support をチェックする

次へをクリックする

Visual Studioのライセンス契約の画面が表示されます。規約を確認のうえ、チェックボックスをチェックして次へをクリックします。

fig ● 最新版のインストール④

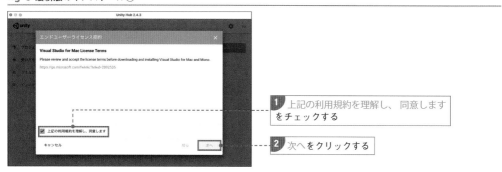

上記の利用規約を理解し、同意します をチェックする

次へをクリックする

Android用のモジュールのライセンス契約の画面が表示されます。規約を確認のうえ、チェックボックスをチェックして実行をクリックします。

fig ● 最新版のインストール⑤

上記の利用規約を理解し、同意します をチェックする

実行をクリックする

インストールが開始されます。必要なファイルがすべてインストールされるのを待ちましょう。

fig ● 最新版のインストール⑥

■ インストーラの実行（Windows版）

Windowsでも同様に、ダウンロードしたインストーラを実行し、ウィザードに従って進めていきます。

インストーラを実行すると、使用条件の確認を求められます。確認のうえで同意するをクリックして先に進んでください。

fig ● Unityのインストール①

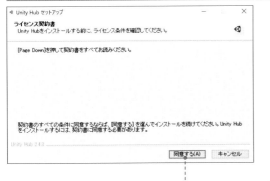

1 同意するをクリックする

インストール先を指定します。通常はデフォルトのままインストールをクリックして先に進みます。

fig ● Unityのインストール②

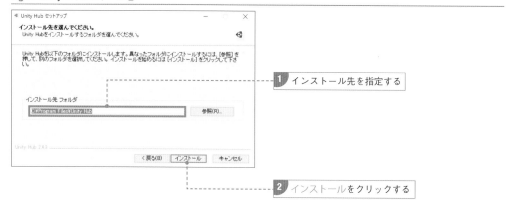

インストールをクリックして先に進みます。

fig ● Unityのインストール③

Unityを利用するためには、Unity IDが必要です。Unity IDを作成します。ユーザーネームとメールアドレス、パスワードを入力して、利用規約を確認したうえでチェックし、Unity IDを作成をクリックします。すでにUnity IDを所有している場合は、すでにUnity IDを所有しているをクリックしてサインインを行ってください。

また、ここで入力したメールアドレスに確認のメールが送付されます。メール内のLink to confirm emailのリンクをクリックし、メールアドレスとパスワードを入力してサインインを行ってください。

fig ● Unityのインストール④

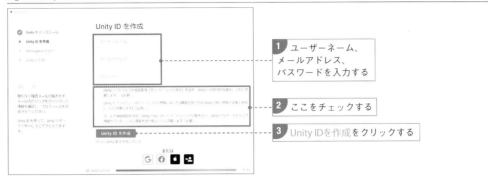

1 ユーザーネーム、
　メールアドレス、
　パスワードを入力する

2 ここをチェックする

3 Unity IDを作成をクリックする

　Unityのインストールが行われます。また、ここではサンプルゲームをインストールすることもできます。ゲーム作りの参考になるので、ぜひサンプルゲームをインストールしてみてください。FPSを選択して、次へをクリックしてください。

fig ● Unityのインストール⑤

1 FPSを選択する

2 次へをクリックする

　Unityがインストールされるのを待ちましょう。インストールが完了したら、UNITYを起動をクリックしてください。

fig ● Unityのインストール⑥

1 UNITYを起動をクリックする

Unityが起動します。実行ツールのプレイをクリックすると、サンプルゲームをプレイすることができます。実行中にプレイをクリックすると、サンプルゲームを終了することができます。

fig ● Unityのインストール⑦

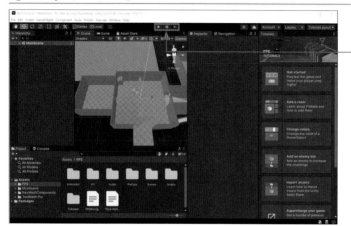

プレイをクリックすると
ゲームが実行される

本書の執筆時点（2021年6月）では、ダウンロードしたインストーラを実行すると、Unity 2020.3がインストールされます。Unity Hubから、最新版のUnityをインストールすることができます。最新のUnity 2021のインストールを行いましょう。あわせて、iOSやAndroid用のモジュールもインストールします。

インストールしたバージョンのUnityをそのまま使用する場合は、30ページのTipsを参考にして、iOSやAndroid用のモジュールなどをインストールしてください。

■ 最新版のインストール（Windows版）

Unity Hubを開き、画面左側のインストールをクリックし、続けて画面右上のインストールボタンをクリックします。

fig ● 最新版のインストール①

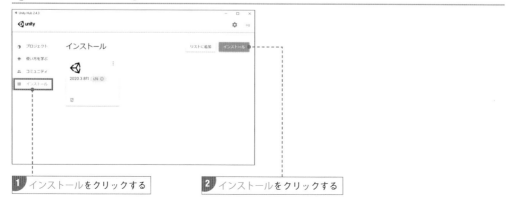

1 インストールをクリックする　　　2 インストールをクリックする

「最新正式リリース」からインストールするバージョンを選択します。ここではUnity 2021.1.7f1を選択しています（バージョンは随時更新されるので、その時点の最新のものを選択してください）。選択したら、次へをクリックします。

fig ● 最新版のインストール②

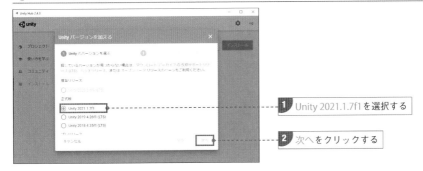

インストールするモジュールを選択します。Microsoft Visual Studio Community 2019、Android Build Support、Android SDK & NDK Tools、OpenJDK、iOS Build Supportをチェックして、次へをクリックします。

fig ● 最新版のインストール③

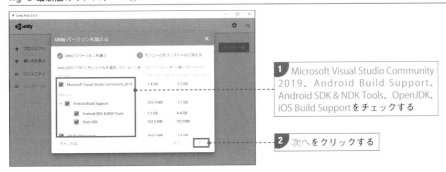

Visual Studioのライセンス契約の画面が表示されます。規約を確認のうえ、チェックボックスをチェックして次へをクリックします。

fig ● 最新版のインストール④

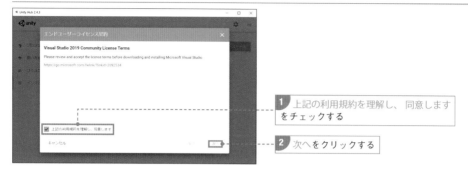

Android用のモジュールのライセンス契約の画面が表示されます。規約を確認のうえ、チェックボックスをチェックして実行をクリックします。

fig ● 最新版のインストール⑤

インストールが開始されます。必要なファイルがすべてインストールされるのを待ちましょう。

fig ● 最新版のインストール⑥

■ Unity IDを承認する

Unity IDの承認を行います。Unityのインストールの際に入力したメールアドレス宛に確認メールが届いています。メールを開き、Link to confirm emailのリンクをクリックして承認を行ってください。

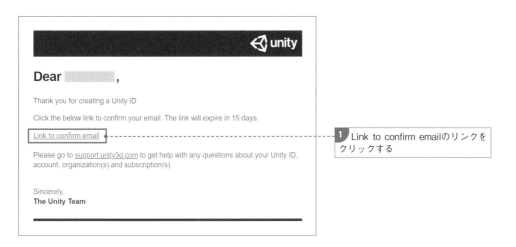

1 Link to confirm emailのリンクをクリックする

■ Unity IDでサインインする

Unityを利用するためには、Unity IDによるサインインが必要です。サインインはUnity Hubから行います（以後、本書ではサインインしていることを前提に解説を進めます）。

サインインをクリックすると、サインイン画面が開きます。Unity ID（メールアドレスとパスワード）を入力してください。

fig ● サインイン

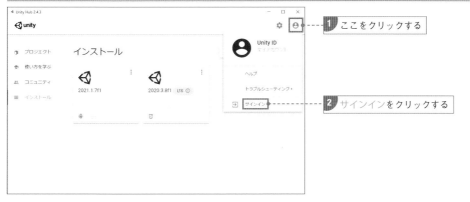

1 ここをクリックする

2 サインインをクリックする

▷ モジュールを追加する Tips

　インストールしたUnityにモジュールを追加する場合は、「インストール」画面でモジュール追加するUnityの：をクリックして、モジュールを加えるを選択します。追加するモジュールの選択画面が開くので、必要なモジュールを選択してインストールを行ってください。

fig ● モジュールを追加する

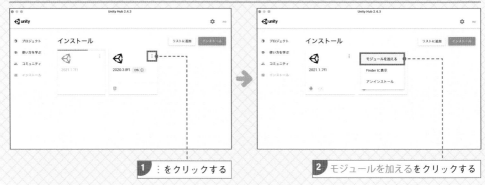

| 1 | ：をクリックする | 2 | モジュールを加えるをクリックする |

▷ Unityのアンインストール Tips

　Unity Hubでは、複数のバージョンのUnityをインストールして利用することができます。古いバージョンのUnityをアンインストールする場合は、「インストール」画面でアンインストールするUnityの：をクリックして、アンインストールを選択します。

fig ● Unityのアンインストール

| 1 | ：をクリックする | 2 | アンインストールをクリックする |

Chapter 2

Unityの画面と使い方

2-01 Unityエディターの画面構成

Chapter2では、Unityを起動すると表示されるエディターの画面構成や使い方について解説します。実際にゲームを作っていく前に、**Unityエディターの各部分の名称と役割**について学んでいきましょう。

Unityエディターは、それぞれ役割ごとに分割された「ウィンドウ」や「ビュー」と呼ばれる領域で構成されています。

fig ● Unityエディターの画面構成

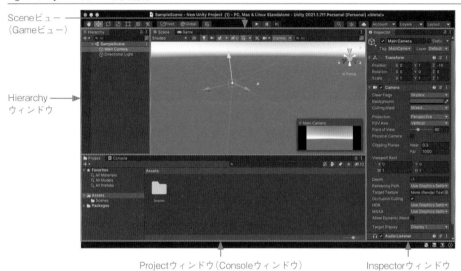

ウィンドウやビューの配置は、いくつかのレイアウトパターンが用意されています（詳しくは45ページで解説します）。上記の画面は「Default」のレイアウトの場合です。なお、本書ではDefaultレイアウトを使用して解説を進めていきます。

1 Game ビュー

Game（ゲーム）ビューには、**カメラを通してゲームの世界を映した画面**が表示されます。ゲームを実行した際の画面と同じように表示されるので、実行時にどのように見えるかを確認しながらゲーム制作を進めることができます。

Gameビューと後述するSceneビューは、ビューの上部にあるタブで表示を切り替えることができます（Defaultレイアウトの場合です）。

fig ● Gameビュー

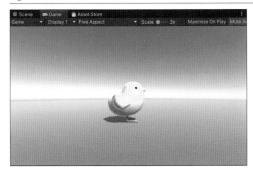

📖 Gameビューのコントロールバー

Gameビューの上部には、ゲーム画面の表示を設定するためのコントロールバーが用意され
ています。

fig ● Gameビューのコントロールバー

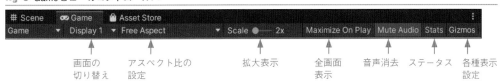

📖 画面の切り替え

Unityでは、ゲーム内に複数のカメラを用意し、**カメラごとに表示される画面を切り替える**
ことができます。Display 1部分をクリックすると表示されるドロップダウンリストから、そ
れぞれのカメラに対応した画面に表示を切り替えることができます(画面を切り替えるために
はカメラと画面の関連付けが必要です)。

fig ● 画面の切り替え

📖 アスペクト比の設定

Free Aspect部分をクリックすると表示されるドロップダウンリストから、**ゲーム実行時の
画面のアスペクト比(縦横比)** を設定することができます。アスペクト比に応じてGameビュー
の表示も変更されるので、ゲーム画面の見え方を確認することができます。

拡大表示

Scaleのスライダーを動かすことで、**Gameビュー内の表示を拡大**することができます。また、拡大表示時にキーボードの［option］キー（macOSの場合）あるいは［Alt］キー（Windowsの場合）を押しながらGameビュー内でマウスドラッグすることで、表示範囲を変更することができます（拡大表示をやめると元の表示範囲に戻ります）。

全画面表示

Maximize On Playをオン（押し下げ）にしておくと、ゲームをプレイした際に**Gameビューが開発画面いっぱいに再生**されます。

音声消去

Mute Audioをオンにしておくと、**BGMや効果音などを鳴らさない（ミュート）**ようにします。

ステータス

Statsをオンにすると、**レンダリング統計を表示**します。ゲームを実行するデバイスのメモリへの負荷やレンダリングに伴う負荷など、ゲームのパフォーマンスの最適化をはかるうえで非常に重要なデータを確認できます。

fig ● レンダリング統計の表示

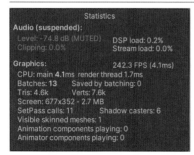

■ 各種表示設定

　Gizmosをオンにすると、Gameビューの画面内に**カメラやライトなどを示すアイコンが表示**されます。また、Gizmosの右側にある▼をクリックすると表示されるドロップダウンリストから、**Inspectorウィンドウに表示されるコンポーネントの状態を選択できます**（リストでチェックを外したコンポーネントは折り畳まれて表示されます）。コンポーネントについては後ほど解説します。

fig ● 各種表示設定

チェックした項目はInspector
ウィンドウ上で展開して表示される

コンポーネント名の左側の▶をクリック
すれば、展開表示されます。

Gizmosのリストにチェックがある場合

Gizmosのリストにチェックがない場合

2　Scene ビュー

　Scene（シーン）ビューは、**ゲームを構成する各オブジェクトの位置や大きさなどを調整する編集画面**になります。この画面を通して、実際のゲーム作りを行っています。そのため、ゲーム制作のメイン画面と言えます。

fig ● Sceneビュー

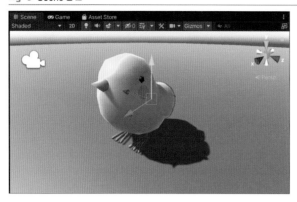

🐦 Sceneビューのコントロールバー
....

　　　Sceneビュー上部には、シーンの表示などを設定するためのコントロールバーが用意されて
います。

fig ● Sceneビューのコントロールバー

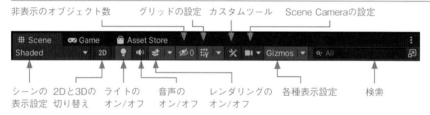

🐦 シーンの表示設定
....

　　　Shaded部分をクリックすると表示されるドロップダウンリストから、**Sceneビューの表示
形式**を選択できます（ボタンの表示は選択内容によって変化します）。
　　　初期設定（Shaded）では、テクスチャのみを表示する設定となっています。ワイヤーフレー
ムのみを表示する設定（Wireframe）や、テクスチャとワイヤーフレームを両方表示する設定
（Shaded Wireframe）もあります。

fig ● シーンの表示設定

Shaded　　　　　　　　　　　　Wireframe　　　　　　　　　Shaded Wireframe

　　　その他の設定については、次の表を参照してください（ここで設定する項目の多くは一歩進
んだ開発を行う際に必要となるものです。詳細は省略させていただきます）。

table ◯ シーンの表示設定

Shading Mode	Shaded：テクスチャのみを表示する
	Wireframe：ワイヤーフレームのみを表示する
	Shaded Wireframe：テクスチャとワイヤーフレームを表示する
Miscellaneous	Shadow Cascades：Sceneビューにライトのシャドウカスケードを表示する
	Render Paths：Sceneビュー内の各オブジェクトのレンダリングパスを色で表示する
	Alpha Channel：Sceneビュー内の各オブジェクトをアルファ値でレンダリングする
	Overdraw：Sceneビュー内のオブジェクトが透明で描画される。オブジェクト同士の重なりを確認する際に使用する
	Mipmaps：Sceneビュー内の各オブジェクトに追加したテクスチャのサイズが、赤であればサイズが大きく、青であればサイズが適切であるとわかる
	Texture Streaming：Texture Mipmap Streamingシステムによって、どのレベルのミップマップを実際にメモリに読み込んでいるかを表示する
	Sprite Mask：マスクの輪郭のみを表示する
Deferred	Albedo：アルベド（外部からの反射光）の情報を表示する
	Specular：スペキュラ（鏡面からの反射光）の情報を表示する
	Smoothness：滑らかな光の反射を行う
	Normal：法線を表示する
Global Illumination	Systems：Sceneビュー内の各オブジェクトがシステムによって再分割されて事前に演算される状況がわかる
	Clustering：クラスター出力を表示する
	Lit Clustering：間接光のクラスター出力を表示する
	UV Charts：GIの計算のために最適化されたUVレイアウトを表示する
	Contributors/Receivers：グローバルイルミネーションのLight MapやLight Probesの影響を表示する
Realtime Global Illumination	Albedo：GI（global illumination：広域照明）を計算するためのアルベドを表示する
	Emissive：Sceneビュー内の各オブジェクトでGIを計算するために発光性のあるオブジェクトを表示する
	Indirect：間接光を表示する
	Directionality：放射照度に基づいて、それに一致する方向情報が表示される
Baked Global Illumination	Baked Light map：ベイクされたライトマップが表示される
	Directionality：ベイクGIの放射照度に基づいて、それに一致する方向情報が表示される
	Shadowmask：シャドウマスクを有効にする
	Albedo：GIを計算するためのアルベドを表示する
	Emissive：Sceneビュー内の各オブジェクトでGIを計算するために発光性のあるオブジェクトを表示する
	UV Charts：GIの計算のために最適化されたUVレイアウトを表示する
	Text Validity：Baked GIの計算のために最適化されたテキスト情報を表示する
	UV Overlap：UVの重なりを表示する
	Baked Lightmap Culling：事前に計算されたLighting Cullingを表示する
	Lightmap Indices：ベイクされた光誘発が表示される
	Light Overlap：ライトの重なりを表示する
Material Validation	Validate Albedo：PBR（物理的に正しいレンダリング）のマテリアルAlbedo設定の妥当性を確認する
	Validate Metal Specular：PBRのマテリアルMetal Specular設定の妥当性を確認する

🔖 2Dと3Dの切り替え

　　2Dをクリックすると、Sceneビューを2D表示に切り替えます。Sceneビューを2D表示にすると、常に正面から画面を見た状態になります。また、2D表示にすると、Sceneビュー右上に表示されるシーンギズモが消えます（シーンギズモについては後ほど解説します）。

fig ● 2Dと3Dの切り替え

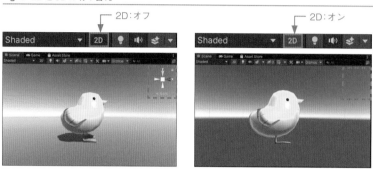

🔖 ライトのオン/オフ

　　照明設定のアイコンをオン（押し下げ）にすると、**Sceneビュー内でオブジェクトがライトの影響を受ける**ようになります（初期状態でオンにされています）。

fig ● ライトのオン/オフ

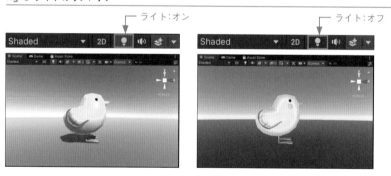

🔖 音声のオン/オフ

　　オーディオ設定のアイコンをオンにすると、**Sceneビュー上でBGMや効果音などのオーディオ要素を鳴らす**ことができます。

🔖 レンダリングのオン/オフ

　　レンダリング設定のアイコンをオンにすると、**スカイボックス（Skybox）**※などのGUI要素を**Sceneビュー上にレンダリング**※します。設定可能なGUI要素は、次の表を参照してください。

table ● レンダリング設定の項目

Skybox	スカイボックスをSceneビュー内で反映してレンダリングするか
Fog	フォグ（ゲーム内の霧の表現）をSceneビュー内で反映してレンダリングするか
Flares	フレア（レンズフレア）をSceneビュー内で反映してレンダリングするか
Animated Materials	アニメーションさせているマテリアル（Material）をSceneビュー内で反映してレンダリングするか（マテリアルについては86ページを参照）
Post Procesings	イメージエフェクト（カメラにフィルターを設定して行う表現）をSceneビュー内で反映してレンダリングするか
Particle Systems	Sceneビュー上でパーティクルを再生してレンダリングするか

　レンダリング設定のアイコンをクリックすると全ての項目がオンになります。アイコン右側の▼をクリックすると表示されるドロップダウンリストから個別に設定することもできます。

　以下のSceneビューの様子を見ると、左側はSkyboxなどのレンダリングがオンに設定されていますが、右側のオフだと表示されずに暗くなっています（初期状態ではSkyboxなどの項目はオンになっています）。

fig ● レンダリングのオン／オフ

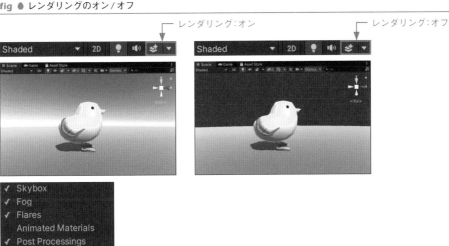

スカイボックス（Skybox）
　↘ ゲーム上で空を表現するためのマテリアルです。ゲームシーンの上を半球状に覆っています。Window → Rendering → Environment → Skybox Materialからスカイボックスを設定可能です。

レンダリング（Rendering）
　↘ レンダリングとは「データを基に3Dオブジェクトを画面上に描き出すこと」です。3Dオブジェクトを描き出すソフトウェアやシステムのことを「レンダリングエンジン（Rendering Engine）」や「レンダラー（Renderer）」と呼びます。

非表示オブジェクトの数

Sceneビュー上で非表示になっているオブジェクトの数を表示します。

グリッドの設定

SceneビューにX、Y、Z方向のグリッド線を表示することができます。Opacityでグリッド線の不透明度を設定することもできます。

カスタムツール

Unityのエディタ拡張機能を使って自作の操作ツールを作った場合は、ここから自作の操作ツールを選ぶことができます。

Scene Cameraの設定

Sceneビューを表示するカメラを設定することができます。

各種表示設定

Inspectorウィンドウに表示されるコンポーネントの状態を設定できます。Gameビューのものと同様です。詳しくは35ページを参照してください。

検索

検索欄に名前を入力することで、Sceneビュー上のオブジェクトを検索することができます。

シーンギズモ

3DモードのSceneビューの右上には、シーンギズモ（Scene Gizmo）と呼ばれるものが表示されています。これをクリックすることで90度ごとにSceneビューの視点（画面）を回転させることができます。

シーンギズモには、「赤」「緑」「青」に着色されたコーン（円錐）があり、それぞれに「x」「y」「z」と文字がふってあります。これは、Sceneビューの座標（X：横方向、Y：縦方向、Z：奥行き）とリンクしています。シーンギズモのコーン部分をクリックすることで、Sceneビューの表示方向を変更し、オブジェクトをさまざまな角度から確認することができます。

fig ● シーンギズモ

コーン部分をクリックすると、正面から見た向きに切り替わります。

fig ● オブジェクトの向きを切り替える

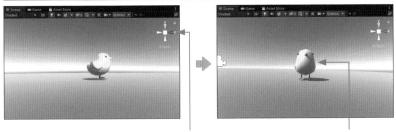

コーン部分をクリックする　　オブジェクトが90度回転して表示される

中央の立方体部分をクリックすると、Z軸方向の距離（奥行き）が無視されて表示されます。再度クリックすることで元の状態に戻ります。

fig ● 立方体部分のクリックによる表示の違い

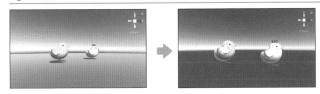

▷ Package ManagerとAnimator Tips

　Sceneビュー（Gameビュー）の上には、作業状況に応じて「Package Manager」「Animator」などタブが追加で表示されます（表示されるタブは自分で追加・削除することもできます）。

　「Package Manager」はプロジェクトに組み入れるアセットを管理するウィンドウです。Asset Storeから入手したアセットをプロジェクト内にインポートしたり、Unity社が提供する追加機能や開発中の新機能をダウンロードしてプロジェクト内で使用することができます。

fig ● Package Manager

　また、ゲーム制作の過程で、「Animator」などのタブが追加されることもあります。Animatorウィンドウは、キャラクターなどにアニメーションを付け加えるためのシステムを操作するための画面です。

fig ● Animatorウィンドウ

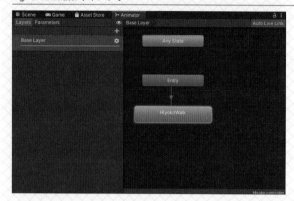

　それぞれのウィンドウは、Windowメニューから開くことができます。ウィンドウを開くことで、それに対応したタブが追加されます。

3　Hierarchyウィンドウ

　Hierarchy（ヒエラルキー）ウィンドウには、**ゲームを構成するオブジェクト**が格納されています。Hierarchyウィンドウに格納されたオブジェクトは、Sceneビュー上にも表示されます。

fig ● Hierarchyウィンドウ

この例はプロジェクトの作成後にオブジェクトを追加した状態です。新規プロジェクトの作成時には通常、「Main Camera」と「Directional Light」のみが格納されています（2DのプロジェクトではMain Cameraのみ）。

4　Projectウィンドウ

　Project（プロジェクト）ウィンドウには、ゲーム内で使用される3Dモデルや2Dグラフィック、音楽、テクスチャ、スクリプトやアニメーションなど、**ゲームを作成する際に使用するデータが全て格納**されます。各素材は、フォルダー分けや階層分けで管理することもできます。

　Unityでは、**1つのゲームにつき1つの「プロジェクト」**を作成します。プロジェクトの実体はフォルダーで、その中にゲームの進行に必要なデータや情報を収録していきます。ゲーム内で使用するデータは、プロジェクトフォルダーの下にある「**Assets**」フォルダー内に収録します。

　Unityのプロジェクトに外部からモデルデータや音楽データ、テクスチャデータを追加する際は、**Project**ウィンドウに**ドラッグ＆ドロップ**します。Projectウィンドウの左上にある＋をクリックすると表示されるドロップダウンリストからアセットを作成して追加することもできます（ウィンドウ内の右クリックで同様に作成可能です）。

fig ● Projectウィンドウ

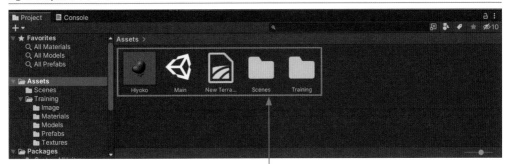

ゲーム内で使用するデータ（アセット）が全て格納される

▶ Unityでの「オブジェクト」の定義　　　Tips

　Unityでは、キャラクターや背景といった素材、メッセージを表示するテキストなど、ゲームを構成する要素を全てオブジェクトとして扱います（UnityのマニュアルなどではGameObjectと呼ばれています）。
　ゲームに出てくる「プレイヤー」や「エネミー」などの「登場人物」はオブジェクト（GameObject）です。さらに、ゲームの世界を照らすライトや世界を映すカメラなど「ゲームの世界に映らない」オブジェクトもあります（画面には映らなくてもゲーム内にオブジェクトとして存在しています）。
　違う観点から言うと、単独でHierarchyウィンドウに追加できるものをUnityではオブジェクトと呼ぶことができます。ちなみに、単独ではHierarchyウィンドウに追加できないものはアセットと呼ばれます。例えば、モデルデータに対して設定する「テクスチャ」や「スクリプト」データはアセットになります（オブジェクトやアセットを設定する方法はChapter3で解説します）。

5　Inspectorウィンドウ

　Inspector（インスペクター）ウィンドウは、各オブジェクトに設定されている位置や角度、大きさ、当たり判定、物理挙動の設定などの情報を確認・編集することができます（当たり判定や物理挙動については、Chapter3で解説します）。Unityでは、これらのオブジェクトを設定するための機能を**コンポーネント**と呼んでいます。**Hierarchyウィンドウで選択されたオブジェクトのコンポーネントの情報はInspectorウィンドウを通じて確認・編集**することができます。また、Unityにはさまざまな機能のコンポーネントが用意されていて、**Inspectorウィンドウを通じてオブジェクトにコンポーネントを追加**することもできます。
　オブジェクトには、その種類に応じていくつかのコンポーネントがあらかじめ設定されてい

ます。位置や回転、大きさの情報を持つTransformコンポーネントは、全てのオブジェクトが持つ最小限のコンポーネントになります。以下の図は「Main Camera」のInspectorウィンドウです。Inspectorウィンドウに表示される内容は選択するオブジェクトによって異なります。

fig ● Inspectorウィンドウ

← 「Transform」コンポーネント

▶をクリックすると、コンポーネントの詳細情報
の表示を閉じたり開いたりできます。

6 Consoleウィンドウ

Console（コンソール）ウィンドウは、ゲーム実行時に発生したエラーや警告、ログを表示します。ウィンドウ上部のタブでProjectウィンドウと切り替えて表示できます。

fig ● Consoleウィンドウ

▶ 画面の配置を変更する

　Unityエディター上のウィンドウやビューの配置は自由に設定することができます。あらかじめいくつかのパターンが用意されている他に、ウィンドウやビューのタブ部分をドラッグすることで、任意の位置に移動させることもできます。移動させた後に元の配置に戻したい場合は、Inspectorウィンドウの上に設置されているLayoutボタンから「Default」などのパターンを選択します。

fig ● レイアウトを設定する

fig ● レイアウトのパターン

Default

2 by 3

4 Split

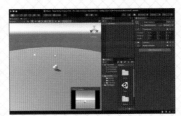

Tall

Wide

7 その他のボタンやメニュー

Unityエディター上には、ここまでに紹介したウィンドウやビュー以外にもボタンやメニューが用意されています。それぞれの役割を見ていきましょう。

操作ツール

オブジェクトを移動したり、大きさを変更するツールです。

ツールを選択（ボタンをクリック）したうえで、Sceneビュー上のオブジェクトをマウスドラッグなどで操作します。詳しくは、52ページから解説します。

fig 操作ツール

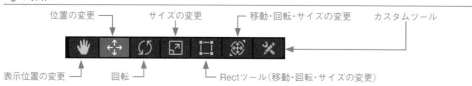

位置の変更 / サイズの変更 / 移動・回転・サイズの変更 / カスタムツール
表示位置の変更 / 回転 / Rectツール（移動・回転・サイズの変更）

Center/Pivotボタン

オブジェクトに親子関係を設定した際、Sceneビュー上で「親」オブジェクトを操作（移動・回転・サイズ変更など）すると、それに合わせて「子」オブジェクトも変化します（オブジェクトの親子関係については、次ページのTipsを参照してください）。Center/Pivotボタンは、その際の**基準点の切り替え**を行います（ボタンをクリックするたびに「Pivot」と「Center」が切り替わります）。

「親」オブジェクト選択時に「Center」を選択すると、親子関係のあるオブジェクトの真ん中が基準点になり、「Pivot」を選択すると「親」オブジェクトの中心に基準点が置かれます。

fig Center/Pivotボタン

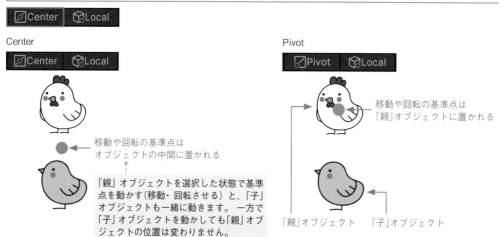

Center

移動や回転の基準点はオブジェクトの中間に置かれる

「親」オブジェクトを選択した状態で基準点を動かす（移動・回転させる）と、「子」オブジェクトも一緒に動きます。一方で「子」オブジェクトを動かしても「親」オブジェクトの位置は変わりません。

Pivot

移動や回転の基準点は「親」オブジェクトに置かれる

「親」オブジェクト / 「子」オブジェクト

▷ オブジェクトの親子関係 Tips

　あるオブジェクトに別のオブジェクトを関連付けて扱うことを「親子関係」と呼びます。関連付けられた方が「親」で、関連付けた方が「子」になります。オブジェクトを親子関係にした状態で「親」オブジェクトに対して変更を加えると「子」オブジェクトも同じ変更が適用されます。親子関係にすることで、複数のオブジェクトを同時に動かして位置を調整することなどができるようになります。

　なお、オブジェクトを親子関係にするためには、Hierarchyウィンドウ上で、「親」オブジェクトの上に「子」オブジェクトをドラッグ＆ドロップします。

fig ● 親子関係を設定する

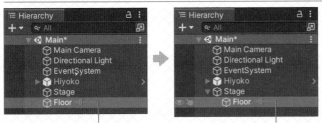

「子」オブジェクトを「親」オブジェクトの上にドラッグ＆ドロップする　　　親子関係が設定される

📖 Local/Globalボタン

　Sceneビュー上でオブジェクトを操作（移動・回転・サイズ変更）する際に、**基準となる座標軸の切り替え**を行います（ボタンをクリックするたびに「Local」と「Global」が切り替わります）。

　「Global」を選択するとシーン全体を基準とした絶対座標の軸が適用され、「Local」を選択するとオブジェクト自身の座標軸が基準としてローカルの座標が適用されます。

fig ● Local/Globalボタン

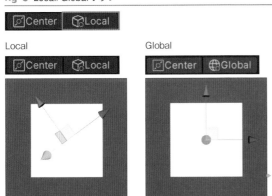

グローバル空間は「X:0, Y:0, Z:0」の原点を基準として位置などを指定する方法です。ローカル空間は、原点とは別に基準を設定して、それに対する位置などを指定する方法です。

実行ツール

作成中の**ゲームを実行させる**ためのツールです。「プレイ」ボタンをクリックすると、Game
ビュー上でゲームを実行することができます。もう一度クリックすると停止します。「ポーズ」
ボタンで一時停止します。「ステップ」ボタンで、ゲームをコマ送りして確認することが可能
です。

fig ● 実行ツール

プレイ　ポーズ　ステップ

その他のボタン

「検索」ボタンをクリックするとUnityに関する情報を調べられます。

「コラボ」ボタンはUnity Collaborateというサービスを使い、チーム間でゲームのプロジェ
クトデータ共有を行います。

「サービス」ボタンをクリックすると、Servicesウィンドウが表示されます。

「アカウント」ボタンは、Unityアカウントへのサインインや、Plus/Pro版へのアップグレー
ドなどを行います。

「レイヤー」ボタンをクリックすると表示されるドロップダウンリストから、Sceneビュー上
に表示するレイヤーを選択することができます（リストのチェックを外したレイヤーは非表示
になります）。

「レイアウト」ボタンをクリックすると表示されるドロップダウンリストから、Unityエディ
ターのレイアウトを選択することができます。リストの選択内容によってボタン名は変化しま
す（詳しくは45ページのTipsを参照してください）。

fig ● その他のボタン

検索　コラボ　サービス　アカウント　　　レイヤー　　　レイアウト

メニュー

Unityの画面上部には、さまざまな操作を行うためのメニューが用意されています。Unity
はデフォルトの状態ではあらゆる表示が英語のままで、日本語化されていません。しかし、
「File」「GameObject」など、おおよその役割は直感的にわかるように名前付けされているので、
あまりとまどうことはないでしょう。それぞれのメニューの役割を次の表にまとめます。

table ● メニューの役割

Unity	Unity のバージョンやライセンスの管理、環境設定などを行う(macOS 版のみ)
File	プロジェクトやシーンのファイルの各種設定を行う。ゲームのビルド設定もここから行う
Edit	Unity の各種設定を行う
Assets	アセットをプロジェクトに取り込むなど、アセットに関する設定を行う
GameObject	ゲーム上に配置する素材を追加するなど、オブジェクトに関する設定を行う
Component	各ゲーム素材に対してゲーム要素の設定を行う
Window	各種ビューの選択などを行う
Help	公式の各種マニュアルやリファレンスへのアクセスが可能

　「Unity」メニューはmacOS版にだけ存在し、Windows版には存在しません。Windows版では「Unity」メニューの項目は、他のメニューに割り振られています。また、プロジェクトに取り込んだアセットによって、メニューバーの項目が変化することがあります。

2-02　基本的な操作方法

　ここからは、Unityの基本的な操作方法について解説していきます。

1　Unityでゲームを作る手順

　Unityでは、まず新しく**プロジェクト(Project)を作る**ところからゲーム制作が始まります。プロジェクトを作成すると、対応するプロジェクトフォルダーが作成され、その下にプロジェクト(ゲーム)に必要なファイルが保存されます。

　Unityでは、ゲーム画面をシーン(Scene)で管理します。**1つのゲーム画面につき、1つのシーンが必要**となります(シーンの数は作成するゲームの規模などにより変化します)。

　シーンは沢山の**オブジェクト(GameObject)**から成り立っています。オブジェクトは、**コンポーネント(Component)**を追加・設定することで特徴付け(制御)することができます。

fig ● Unityゲームのデータ構造

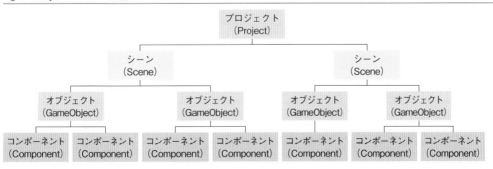

Unityでは、

- ❶プロジェクトとシーンの作成
- ❷シーンにオブジェクトを配置
- ❸オブジェクト（コンポーネント）の設定

といった手順でゲームを作成していくことになります。プロジェクトやシーンの作成方法は、Chapter3以降のサンプル制作の過程で解説していきます。

2 プロジェクトとシーンを作成する

ゲーム制作の最初に行うのが**プロジェクトの作成**です。Unityでは2Dと3Dのゲームを作成することができますが、2Dゲーム用と3Dゲーム用、それぞれのプロジェクトを作成できます。

プロジェクトを作成するとシーンも同時に作成されます。作成されたシーンをそのまま使うこともできますが、本書では新たにシーンを追加していきます。**名前を付けてシーンを保存し**ておきましょう。

プロジェクトの作成については、Chapter3以降のサンプル制作で詳しく解説します。

3 シーンにオブジェクトを配置する

シーンにオブジェクトを配置するためには、Hierarchyウィンドウ上にオブジェクトを追加します。Hierarchyウィンドウへのオブジェクトの追加は、

- Projectウィンドウからドラッグ＆ドロップする
- Hierarchyウィンドウで「＋」から作成する
- スクリプト（プログラム）から生成する

といった方法があります（ここでは1つ目と2つ目の方法について解説します。3つ目のスクリプトからの生成は、Chapter4以降で解説します）。

■ ドラッグ＆ドロップする

Projectウィンドウにはゲーム内で使用するデータ（アセット）が登録されています。**ProjectウィンドウからHierarchyウィンドウにドラッグ＆ドロップ**することで、シーン（ゲーム画面）にオブジェクトを配置することができます。

アセットを外部からプロジェクト内に取り込む場合も、Projectウィンドウにドラッグ＆ドロップします（またはAssetsメニューからインポートします）。取り込んだアセットはプロジェクトの「Assets」フォルダーに保存されます。ドラッグ＆ドロップで取り込む場合も、Projectウィンドウの「Assets」フォルダーに収まるようにします。

fig ● Projectウィンドウから Hierarchy ウィンドウにドラッグ＆ドロップする

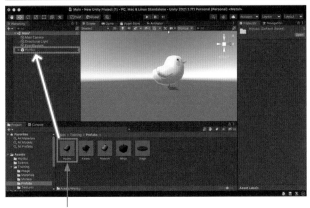

ProjectウィンドウからHierarchyウィンドウに
ドラッグ＆ドロップする

fig ● Projectウィンドウに外部からデータをドラッグ＆ドロップする

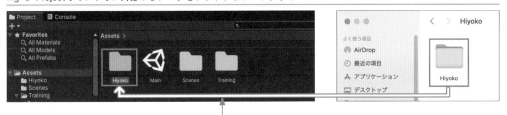

Projectウィンドウの「Assets」フォルダーにドラッグ＆ドロップする

　また、Projectウィンドウ上で直接アセットを作成することもできます（アセットを作成する
例はChapter3で紹介します）。アセットストア（Asset Store）を通じてアセットを購入して取
り込むこともできます（アセットストアについてはChapter6で解説します）。

■ 「＋」から作成する
....
　Hierarchyウィンドウにある＋をクリックすると、Unityに標準で用意されているオブジェ
クトの一覧が表示され、そこから作成するオブジェクトを選択することができます。

fig ● 「＋」から作成する

Unityでは、**プリミティブ素材**として、立方体や球などの形状をしたオブジェクトが用意されています。プリミティブ素材を使えば、ゲームのステージなどを手軽に作成することができます（「＋」からオブジェクトを作成する例はChapter3で解説します）。

▷ Unityで使えるプリミティブ素材 `Tips`

Unityには以下のようなプリミティブ素材（図形）が最初から準備されています。これらの素材を組み合わせるだけでも、それなりのゲームを作ることができるので、ぜひチャレンジしてみてください。本書でも、さまざまな場面でプリミティブ素材を活用していきます。

fig ● 主なプリミティブ素材 (3D)

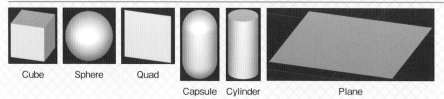

Cube　Sphere　Quad　Capsule　Cylinder　Plane

4 オブジェクト（コンポーネント）を設定する

Sceneビュー上に表示されたオブジェクトは、マウスドラッグすることで、位置や角度、大きさを自由に変更することができます。

視点を変更する

操作ツールで**ハンドツール**を選択（クリック）した状態でSceneビューの画面上をドラッグすることで、編集中の画面の視点を変更することができます（選択するとアイコンが虫眼鏡の形に変わります）。これは、視点を変更するだけなので、実際にオブジェクトの位置が移動しているわけではありません。

また、マウスホイールで拡大・縮小表示することもできます。

fig ● 編集中の画面の視点を変更する

ドラッグに合わせて画面が平行移動する

視点を回転させる

ハンドツールを選択した状態でキーボードの［option］キー（macOS）あるいは［Alt］キー（Windows）を押したままマウスドラッグすると、選択しているオブジェクトを中心に視点を回転させることができます。

fig ● 編集中の画面の視点を回転させる

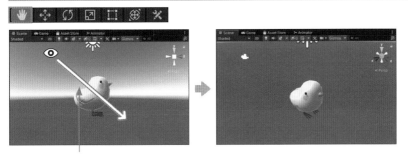

ドラッグに合わせて画面が回転する

位置を移動する

オブジェクトを選択した状態で**移動ツール**をクリックすると、オブジェクトを移動するための立方体と矢印を組み合わせたマークが表示されます。矢印あるいは立方体部分をドラッグすることで、オブジェクトの位置を動かすことができます。

fig ● オブジェクトの位置を移動する

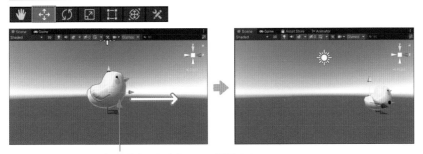

ドラッグした方向にオブジェクトが移動する

Sceneビュー上のオブジェクトの位置は、「X：横軸」「Y：縦軸」「Z：奥行き」の値で示されます（3Dゲームの場合です。2Dゲームでは「X：横軸」「Y：縦軸」で示されます）。移動ツールの矢印はそれぞれの座標軸に対応しています。**矢印部分をドラッグすることで、それぞれの座標軸に沿ってオブジェクトを移動**することができます。シーンギズモでSceneビューの視点を切り替えながら、位置を調整していきましょう。

また、**矢印方向（正方向）にドラッグすれば位置を示す値は増加し、矢印と反対方向（負方向）にドラッグすれば位置を示す値は減少**します。位置を示す値（Position）は、Inspectorウィンドウに表示される各オブジェクトのTransformコンポーネントから確認することができます。

また、オブジェクトの位置などはInspectorウィンドウ上でコンポーネントの値を直接変更することでも設定できます(コンポーネントの値を直接変更する例はChapter3で紹介します)。

fig ● 軸方向を切り替えながら移動する

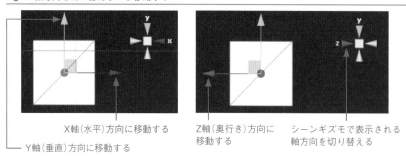

X軸(水平)方向に移動する

Y軸(垂直)方向に移動する

Z軸(奥行き)方向に
移動する

シーンギズモで表示される
軸方向を切り替える

fig ● 位置を示す値を確認する

Positionの値がオブジェクトの位置を示します。
また、Rotationは角度、Scaleは大きさを示して
います。

Local/Globalボタン(47ページを参照)の選択でオブジェクトの移動方向が変わるので注意してください。

fig ● GlobalとLocalの移動方向

Global

Local

オブジェクトはシーンの
座標軸に沿って移動します。

オブジェクト自身の向きに
合わせて移動します。

▷ **オブジェクトの座標原点**　　　　　　　　　　　　　Tips

　オブジェクトの位置は「X,Y,Z」の座標の値で示されます(3Dの場合です)。座標「0,0,0」はシーンの中心地点を示し、ここが原点となります。オブジェクトを正方向に移動すれば座標の値は増加し、負方向に移動すれば座標の値は減少します。シーンギズモのコーン(円錐)で色がついている方向が、それぞれの軸の正方向となります。

オブジェクトを親子関係 (47 ページを参照) にした場合は、「子」オブジェクトの位置は、「親」オブジェクトの位置を原点として、そこからの相対的な値で示されます。

fig ● 座標の値

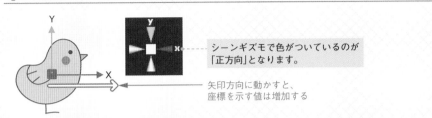

シーンギズモで色がついているのが「正方向」となります。

矢印方向に動かすと、座標を示す値は増加する

fig ● 座標の原点

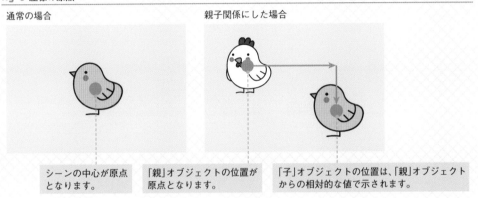

通常の場合

親子関係にした場合

シーンの中心が原点となります。

「親」オブジェクトの位置が原点となります。

「子」オブジェクトの位置は、「親」オブジェクトからの相対的な値で示されます。

角度を回転させる

オブジェクトを選択した状態で回転ツールをクリックすると、オブジェクトを回転させるための球形のラインが表示されます。ライン部分をドラッグすることで、それぞれの軸方向にオブジェクトを回転させることができます。

fig ● オブジェクトを回転させる

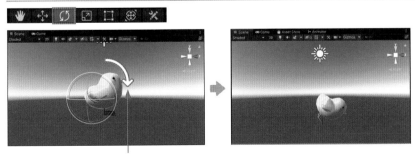

ドラッグした方向にオブジェクトが回転する

大きさを変更する

オブジェクトを選択した状態で**拡大・縮小ツール**をクリックすると、オブジェクトの大きさを変更するための、先端が四角になった矢印と立方体を組み合わせたマークが表示されます。矢印部分をドラッグすることで、それぞれの軸方向に向けてオブジェクトを拡大・縮小することができます（矢印方向に向けてドラッグすると拡大、反対方向に向けてドラッグすると縮小します）。立方体部分をドラッグすることで、オブジェクトの形を変えずに拡大・縮小することができます。

fig ◉ オブジェクトの大きさを変更する

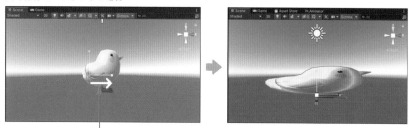

矢印部分をドラッグする場合

ドラッグした座標だけが拡大される

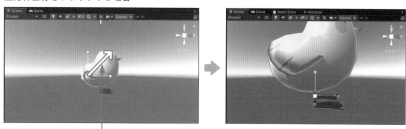

立方体部分をドラッグする場合

全ての座標が拡大される

Rectツール

Rect（レクト）ツールは、オブジェクトの移動、回転、大きさの変更をまとめて行うことができます。主に2Dのオブジェクトを操作するのに使用します。

オブジェクトの位置・角度・大きさを変更すると、オブジェクトが持つTransformコンポーネントのPosition、Rotation、Scaleの値が変化します。同様に、Inspectorウィンドウで Transformコンポーネントの値を変更すると、Sceneビュー上のオブジェクトの位置・角度・大きさも変化します。

fig ● オブジェクトの大きさを変更する

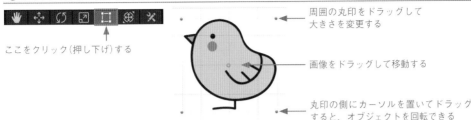

ここをクリック(押し下げ)する

周囲の丸印をドラッグして
大きさを変更する

画像をドラッグして移動する

丸印の側にカーソルを置いてドラッグ
すると、オブジェクトを回転できる

　Unityでは、TransformコンポーネントのPositionの値を変更することでオブジェクトを動かしています。オブジェクトとコンポーネントの関係を覚えておきましょう。コンポーネントはTransformの他にも、オブジェクトの色や質感といった見た目を設定するものや、オブジェクトに重力を設定するものなど、さまざまな機能が用意されています。それらのコンポーネントについては、Chapter3以降でサンプルの制作を通じて使い方を紹介していきます。

移動・回転・サイズの変更

　移動・拡大・サイズの変更をまとめ行うことができます。サイズの変更は、中央の立方体をクリックした状態でマウスをドラッグします。Local/Globalボタンを「Local」にすることで、サイズ変更の四角い矢印も表示されます。

fig ● 移動・回転・サイズの変更

カスタムツール

　Unityのエディタ拡張機能を使って自作の操作ツールを作った場合は、ここから自作の操作ツールを選ぶことができます。

fig ● カスタムツール

▷ **カメラとライト**　　Tips

　新規にプロジェクトを作成すると、HierarchyウィンドウにMain CameraとDirectional Lightというオブジェクトが自動的に追加されます(3Dゲーム用のプロジェクトの場合です。2Dゲームでは「Main Camera」だけが追加されます)。
　「Main Camera」はゲーム画面を映し出すカメラの役割を持ったオブジェクトで、「Directional Light」は画面を照らすライトの役割を持ったオブジェクトです。カメラやライトは、位置や向きを自由に設定することができます。
　Unityでゲームを作る際、現実世界と同じようにライトを入れてオブジェクトを照らします(2Dゲームではライトは使用されません)。目的に応じて、次の4つのライトが用意されています。

table ● ライトの種類

Directional Light	太陽光のように、設定した方向から均一な光を当てるライト
Point Light	配置場所から全方向に向けて光を放つライト
Spotlight	配置場所から特定の方向に向けた光を放つライト
Area Light	光源が四角形のライト(使用するためにはライトのベイク※が必要)

fig ● ライトの種類

   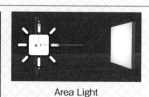

Directional Light　　Spotlight　　Point Light　　Area Light

▷ **Unityエディターのデフォルトカラー** Tips

　2020年8月にリリースされたUnity 2021.1.7f1より、Unityエディターのデフォルトカラーが変更されました。

　Unityエディターのデフォルトカラーは、Unity→Preferencesメニュー(Windowsの場合はEdit→Preferencesメニュー)で表示される「Preferences」画面のGeneral→Edit Themeで変更することができます。従来のグレーの画面がよい場合は、ここで「Light」を選択してください。

fig ● Unityのデフォルトカラー

Dark　　　　　　　　　　　　　　　　　　　　Light

ベイク
↪ ベイクとは、そのオブジェクトの位置は動かないということを前提にして、ライトが当たり光っているところ、影になるところを事前計算することです。

Chapter 3

Unityを使ってみよう！

Chapter 3 で作るサンプル

Chapter3ではUnityの基本操作を体験しながら、シンプルな「玉転がしゲーム」を作ります。Unityは画面を見ながらオブジェクトを配置していろいろな機能を設定するだけで、シンプルなゲームであれば簡単に作ることができます。「ゲームを作る」と言うと難しそうなイメージがありますが、Unityではプログラムを書かなくてもとても簡単にゲームの基礎部分を作れてしまいます。最初の一歩としてUnityの世界を体験するところから始めてみましょう。

Chapter3では、主に以下の内容を学んでいきます。

- オブジェクトを配置して位置を設定する
- カメラを調整して見た目を変えてみる
- オブジェクトに物理的な動きを追加する
- オブジェクトの色を変える
- ゲームを動かしてみる

Chapter 3 で作るサンプルの完成イメージ

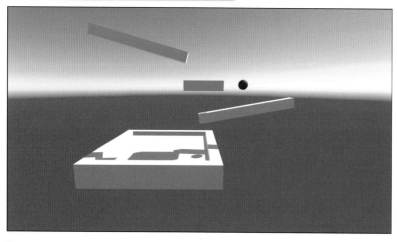

📁 **サンプルプロジェクト→ Tamakorogashi**
https://isbn2.sbcr.jp/10982/ よりダウンロード

3-01　プロジェクトを作ろう！

まずはプロジェクト（Project）を作成しましょう。プロジェクトとは、キャラクターやサウンド、ゲームの設定など、さまざまなデータをまとめた1つの大きなフォルダーのようなものです。

Unityでは基本的に1つのゲームに対して1つの**プロジェクトを作成**します。プロジェクトは、いくつか項目を設定するだけで簡単に作成することができます。

プロジェクトの作成はUnity Hubから行います。Unity Hubを起動して、プロジェクトの作成を開始してください。

1　新規プロジェクトを作る

Unity Hubを起動した際に最初に表示されるウィンドウから、プロジェクトに続けて新規作成をクリックします。すると新しくプロジェクトを設定する画面が表示されます。

プロジェクト名などは任意に設定していただいて大丈夫ですが、**まずは本書の図の指示に従って作業を進めていきましょう。**制作になれたら、いろいろと設定を変えてみて、自分なりにアレンジを加えていくとよいでしょう。

Step 1　「新規作成」をクリックする

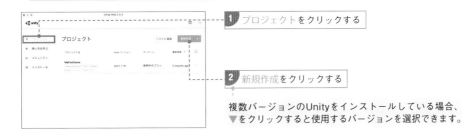

1 プロジェクトをクリックする

2 新規作成をクリックする

複数バージョンのUnityをインストールしている場合、▼をクリックすると使用するバージョンを選択できます。

Step 2　プロジェクト名を設定する

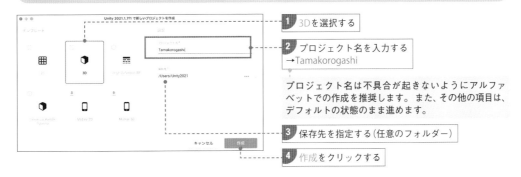

1 3Dを選択する

2 プロジェクト名を入力する
→Tamakorogashi

プロジェクト名は不具合が起きないようにアルファベットでの作成を推奨します。また、その他の項目は、デフォルトの状態のまま進めます。

3 保存先を指定する（任意のフォルダー）

4 作成をクリックする

これで新規プロジェクトが作成されました！ HierarchyウィンドウとSceneビューには
「Main Camera」と「Directional Light」が1つずつ設置された状態になっています（プロジェクトの設定画面で「3D」が選択されている場合です）。

この状態からゲームを構成するオブジェクトを配置していきます。なお、本書ではUnityアカウントにサインインしている状態で作業を進めています（サインインについては29ページを参照してください）。

fig ● 新規プロジェクトが作成された！

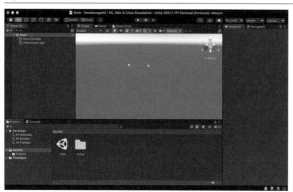

2 シーンを作成する

続いて、**シーン（Scene）を作成**します。シーンとは、1つのゲーム世界のデータで、Unityのゲーム画面はシーンごとに管理されます。Unityのゲーム画面のデータとは、HierarchyウィンドウとSceneビューに表示されているオブジェクトのことで、シーンを保存することでそれらに対する変更を保存することができます。

新規プロジェクトを作成すると、「Main Camera」と「Directional Light」だけが配置されたサンプルのシーンも作成されますが、ここではシーンの理解を深めるために、新たにゲーム用のシーンを追加していきます。なお、**ゲーム作りの最中は予期せぬ不具合が起きる**場合もありますので、シーンはこまめに保存するように習慣づけておきましょう。

Step 1 「Save As」をクリックする

Step 2　シーン名を入力する

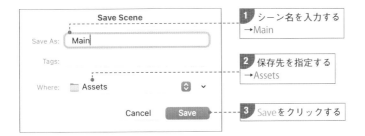

1　シーン名を入力する
→Main

2　保存先を指定する
→Assets

3　Saveをクリックする

シーンが保存されると、Projectウィンドウの「Assets」フォルダー[*]にシーンのアイコンが追加されます（ProjectウィンドウのUnityロゴのアイコンは、シーンデータを意味しています）。

なお、Projectウィンドウの右下のスライダーで、表示されるアイコンのサイズを調整することができます。

fig ● シーンが保存された！

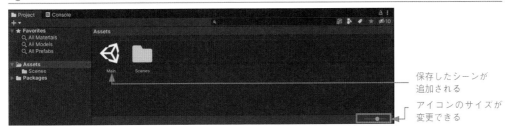

保存したシーンが追加される

アイコンのサイズが変更できる

3-02 床と壁を作ろう！

それでは、実際にオブジェクトを配置して「玉転がしゲーム」を作りましょう。最初に玉のゴール地点の床と壁を作ります。

1　視点を調整する

オブジェクトを配置する前に、ゲームの世界を映すSceneビューの視点を作業がやりやすいように調整します。

「Assets」フォルダー
↳ アセット（Asset）は、ゲームを構成する要素の最小単位を指します。キャラクターやテクスチャ、オーディオ素材もアセットです。ゲーム制作に必要なアセットは全て「Assets」フォルダーに保存します。

Sceneビューの右上に表示されているシーンギズモ（Scene Gizmo）のコーン（円錐）部分をクリックして、青いコーン（zの文字）が上、赤いコーン（xの文字）が右にくるようにしておきます。

fig ● シーンの向きを設定する

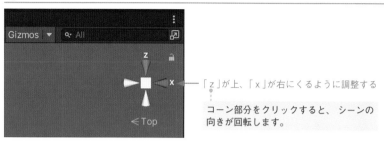

「z」が上、「x」が右にくるように調整する

コーン部分をクリックすると、シーンの向きが回転します。

2 床を作る

まず手始めに、ボールが転がった先のゴール地点の床を作っていきます。床はUnityにあらかじめ用意されているプリミティブ素材の「Cube」を利用して作ります。

Step 1 「Cube」を追加する

1 +をクリックする

2 3D Objectをクリックする

3 Cubeをクリックする

「Cube」の追加はGameObject→3D Object→Cubeメニューで行うこともできます。

「Cube」が追加される

Step 2　「Cube」の位置、角度、大きさを設定する

▤ Hierarchy
＋▾　　🔍 All
▾ ◁ Main*
　　🔗 Main Camera
　　🔗 Directional Light
　　🔗 Cube

1 Cubeをクリックする

値部分をクリックすることで、
変更可能になります。

2 Transformの値を設定する
Position→ X:0　Y:0　Z:0
Rotation→ X:0　Y:0　Z:0
Scale→ X:10　Y:1　Z:10

Step 3　「Cube」の名前を変更する

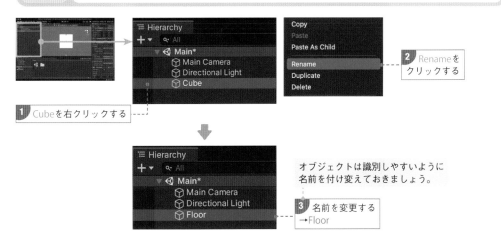

▤ Hierarchy
＋▾　　🔍 All
▾ ◁ Main*
　　🔗 Main Camera
　　🔗 Directional Light
　　🔗 Cube

Copy
Paste
Paste As Child
Rename
Duplicate
Delete

2 Renameを
クリックする

1 Cubeを右クリックする

▤ Hierarchy
＋▾　　🔍 All
▾ ◁ Main*
　　🔗 Main Camera
　　🔗 Directional Light
　　🔗 Floor

オブジェクトは識別しやすいように
名前を付け変えておきましょう。

3 名前を変更する
→Floor

fig ● 床が配置された！

Floor

Hierarchyウィンドウで「Floor」をダブルクリックする
と、Floorが画面中央に表示されます。Sceneビューで
オブジェクトを見失った時は、Hierarchyウィンドウ
から探していきましょう。また、マウスホイールで
拡大・縮小して、見やすい大きさに調整していきま
しょう。

3 壁を作る

続いてゴール地点を覆う壁を作ります。ゴールの床と同じ要領で、今度は4つの「Cube」を追加しましょう。

Step 1 「Cube」を4つ追加する

1 ＋をクリックする

2 3D Objectをクリックする

3 Cubeをクリックする

「Cube」が追加される

同じオブジェクトを追加した場合は、「Cube(1)」「Cube(2)」のように連番で名前が付けられます。

4 ＋→3D Object→Cubeを繰り返して、「Cube」をさらに3つ追加する

Step 2 「Cube」の名前を変更する

名前の変更は、オブジェクトを右クリックしてRenameから行います。

1 Cubeの名前を変更する
→Wall1

追加したオブジェクトを右クリックしてDeleteを選択すると、削除することもできます。

2 残りの「Cube」の名前も変更する
Cube(1)→Wall2
Cube(2)→Wall3
Cube(3)→Wall4

Step 3　「Wall1」の位置、角度、大きさを設定する

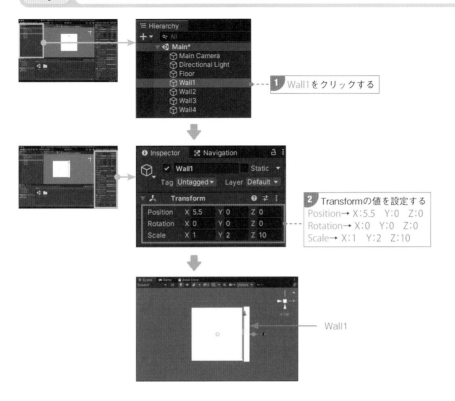

1 Wall1をクリックする

2 Transformの値を設定する
Position→ X:5.5　Y:0　Z:0
Rotation→ X:0　Y:0　Z:0
Scale→ X:1　Y:2　Z:10

Wall1

Step 4　「Wall2」～「Wall4」の位置、角度、大きさを設定する

2 Transformの値を設定する
Position→ X:-5.5　Y:0　Z:0
Rotation→ X:0　Y:0　Z:0
Scale→ X:1　Y:2　Z:10

1 Wall2をクリックする

4 Transformの値を設定する
Position→ X:0　Y:0　Z:5.5
Rotation→ X:0　Y:0　Z:0
Scale→ X:12　Y:2　Z:1

3 Wall3をクリックする

⑥ Transformの値を設定する
Position→ X:0　Y:0　Z:-5.5
Rotation→ X:0　Y:0　Z:0
Scale→ X:12　Y:2　Z:1

⑤ Wall4をクリックする

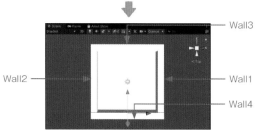

Wall3

Wall2

Wall1

Wall4

▷ シーン内でのオブジェクトの位置の確認　　Tips

　Sceneビュー内にあるシーンギズモは、シーン内の視点の向きを示しています。「X軸＝赤」「Y軸＝緑」「Z軸＝青」のコーン（円錐）部分をクリックすることで、視線の向きを90度ごとに動かしてSceneビュー内のオブジェクトの状況を確認することができます。

　［option］キー（macOS）あるいは［Alt］キー（Windows）を押しながらマウスドラッグをすれば、自由な角度に動かすこともできます。斜めから見た状態を確認することも可能ですので、あらゆる角度からオブジェクトを確認してみてください。マウスホイールで拡大・縮小表示することもできます。

fig ● 表示方向を変えてオブジェクトを確認する

シーンギズモのコーン（円錐）部分をクリックすることで、向きを90度ごとに動かすことができます。

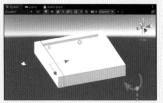

［option］あるいは［Alt］キーをクリックしながらドラッグすると、自由な向きに動かすことができます。

中央の立方体部分をクリックすると、IsometricMode（正射影：遠くのものもそのままの大きさで表示する）とPerspective Mode（透視射影：遠くのものは小さく、近くのものは大きく表示する）が切り替わります。

4　カメラを調整する

　さて、ここまで作ることができたら、**ゲーム画面としてどのように見えるかを確認しましょ**
う。ゲーム画面でどう見えるかは、Gameビューで確認することができます。
　Sceneビューの上にあるGameタブをクリックして、SceneビューからGameビューに切り替
えてみてください。

fig ● Gameビューに切り替える

fig ● Gameビューを確認する

　どうでしょうか？　何かが表示されているようですが、よくわからない状態になっています
ね。**Gameビューで見えるのはゲームをプレイした時の画面**になります。このままだとわから
ないので、正しい見た目に調整をしていきましょう。
　Gameビューがおかしく表示されてしまうのは、ゲームの世界を撮影しているカメラがおか
しな位置にあるのが原因です。プロジェクトを作成した際にHierarchyウィンドウに最初から
存在している「Main Camera」が、まさにこのカメラの機能になります。**Main Cameraの位置**
と角度を設定して、ゴール地点が正しく画面に映るようにします。

Step 1　「Main Camera」の位置と角度を設定する

2	Positionを設定する
	→ X:-20　Y:7　Z:-4

3	Rotationを設定する
	→ X:10　Y:90　Z:0

これでカメラからの見た目が調整されて、ゴールの床の形がハッキリとわかるようになります。

カメラの位置や角度を調整することで、ゲーム画面を見た時の印象が大きく変わります。いろいろな位置や角度を試して、見栄えのよいポイントを見つけてください。

fig ● カメラからの見た目が調整された！

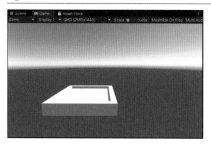

StepUp

カメラからの見え方によってゲームの雰囲気が大きく変わります。いろいろな位置や角度に調整して独自のゲームに仕上げていきましょう。

▷ Lightingを設定する　　　　　　　　　　　　　　　　　　　Tips

画面が暗くなって表示された時は、Lightingの設定を行って、オブジェクトがきちんと表示されるようにしましょう。Lightingの設定はWindow→Rendering→LightingでGenerate Lightingをクリックします。

Lightingの設定を行うと、Projectウィンドウに「Main」フォルダーが追加されます。

── | 1 | Generate Lightingをクリックする

3-03 坂を作ろう！

　ゴール地点が完成したので、次は**ボールを転がすための坂**を作成しましょう。その前に画面をSceneビューに戻しておきましょう。

fig ● Sceneビューに切り替える

1 1つ目の坂を作る

　「Cube」を追加して名前を変更し、位置、角度、大きさを調整します。

Step 1 「Slope1」を追加する

Step 2 「Slope1」の位置、角度、大きさを設定する

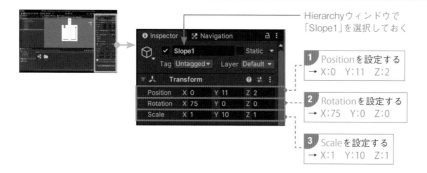

Hierarchyウィンドウで
「Slope1」を選択しておく

1 Positionを設定する
→ X:0　Y:11　Z:2

2 Rotationを設定する
→ X:75　Y:0　Z:0

3 Scaleを設定する
→ X:1　Y:10　Z:1

　ゲームの見た目を確認してみましょう。GameタブをクリックしてGameビューに切り替えます。確認が終わったら、SceneタブをクリックしてSceneビューに戻しておいてください。

fig ● Gameビューで見た目を確認する

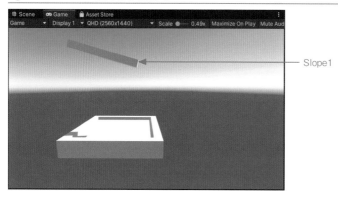

Slope1

2 2つ目の坂を作る

2つ目の坂を作成しましょう。2つ目の坂も「Cube」を使って作ります。

Step 1　「Slope2」を追加する

Step 2　「Slope2」の位置、角度、大きさを設定する

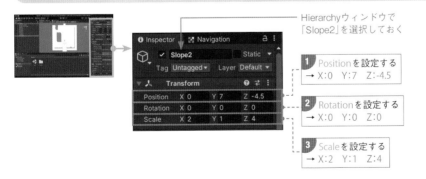

Chapter 3　Unityを使ってみよう！

73

3　3つ目の坂を作る

3つ目の坂を作りましょう。やはり「Cube」で作ります。

Step 1　「Slope3」を追加する

1 ＋をクリックする

2 3D Objectをクリックする

3 Cubeをクリックする

4 追加されたCubeの名前を変更する
→Slope3

Step 2　「Slope3」の位置、角度、大きさを設定する

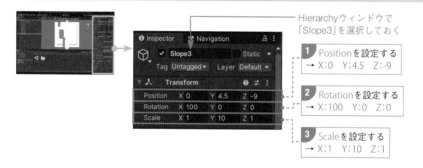

Hierarchyウィンドウで
「Slope3」を選択しておく

1 Positionを設定する
→ X:0　Y:4.5　Z:-9

2 Rotationを設定する
→ X:100　Y:0　Z:0

3 Scaleを設定する
→ X:1　Y:10　Z:1

fig ● ゲームステージができあがった！

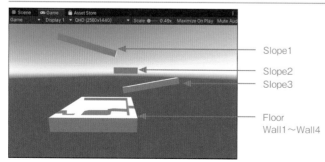

Slope1

Slope2
Slope3

Floor
Wall1〜Wall4

　Gameタブをクリックして、Gameビューに切り替えて確認しましょう。確認が終わったら、SceneタブをクリックしてSceneビューに戻しておいてください。

　坂の数はいくらでも増やすことができます。また、坂の長さや角度も自由に設定することができます。坂の数を増やす場合は、坂が画面に収まるようにカメラの位置の調整も必要となるでしょう。いろいろと試してみてください。

3-04　玉を作ろう！

　これでゲームのステージ部分ができあがりました。あとは坂の上を転がす玉を作成すれば完成です。

1　玉を追加する

　床や壁を作る際に、Unityにあらかじめ用意されている「Cube」を利用しましたが、Unityでは Cube以外にもいくつか単純な形状の素材が用意されています。今回玉を作るにあたって、それらの中の1つである「Sphere」を使用します。

Step 1　「Sphere」を追加する

75

Step 2 「Ball」の位置と大きさを設定する

Hierarchyウィンドウで
「Ball」を選択しておく

1 Positionを設定する
→ X:0 Y:13.5 Z:6

2 Scaleを設定する
→ X:1 Y:1 Z:1

坂の一番上に玉が作成されました。Gameビューで確認してみましょう（確認後は忘れずに
Sceneビューに戻しておきましょう）。

fig ● 坂の一番上に玉が作成された！

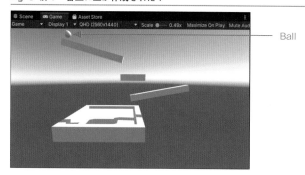

Ball

2 ゲームを実行する

ボールが作成できたので、さっそく転がるか確認してみましょう。実行ツールのプレイをク
リックしてゲームを実行してみてください。

fig ● ゲームを実行する

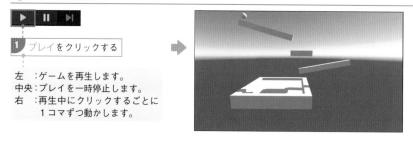

1 プレイをクリックする

左 ：ゲームを再生します。
中央：プレイを一時停止します。
右 ：再生中にクリックするごとに
　　　1コマずつ動かします。

どうでしょうか？ ボールは転がらずに坂の上に止まったままになっていますね。なお、動
作が確認できたら再度プレイをクリックしてゲームの実行を停止します。

Unityでは「玉を転がす」や「箱を落下させる」といった物理的な動作をさせるには、実はもう1つ設定しないといけないものがあります。それは**リジッドボディ（Rigidbody）**というコンポーネントです。

▷ コンポーネントとは？ Tips

コンポーネント（Component）とはオブジェクトの機能を意味します。Unityではゲームの世界に存在するものをオブジェクト（GameObject）と呼び、オブジェクトにはさまざまなコンポーネントが設定されています。オブジェクトに設定されているコンポーネントはInspectorウィンドウで確認することができます。

Unityにはさまざまなコンポーネントが最初から内蔵されており、それらをオブジェクトに追加していくことで機能を設定することができます（最初から設定されているコンポーネントもあります）。今回使おうとしているリジッドボディ（Rigidbody）もそんなコンポーネントの1つです。リジッドボディを追加することで、オブジェクトに「重力」などの物理的な動きを加えることができます。

3-05 重力を設定しよう！

リジッドボディ（Rigidbody）はオブジェクトに「物理挙動」を持たせるためのコンポーネントです。リジッドボディが設定されているオブジェクトは、物理の法則に従って動作をするようになります。簡単に言うと**重力の影響を受ける**ようになります。今回は玉にこの機能を付けていきます。

1 「Ball」にリジッドボディを設定する

Unityではコンポーネントも簡単に設定することができます。実際にやってみましょう。

Hierarchyウィンドウで Ball を選択して、Inspectorウィンドウの Add Component をクリックしてください。

Step 1 「Ball」に「Rigidbody」を追加する

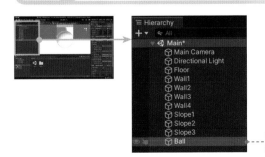

　1　Ballをクリックする

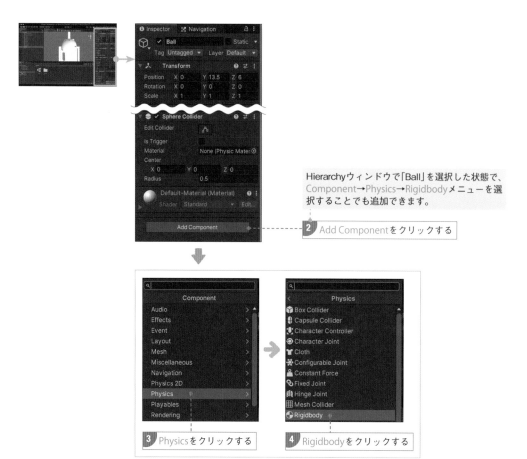

Hierarchyウィンドウで「Ball」を選択した状態で、Component→Physics→Rigidbodyメニューを選択することでも追加できます。

2 Add Componentをクリックする

3 Physicsをクリックする

4 Rigidbodyをクリックする

Step 2　「Rigidbody」を確認する

▶をクリックすると、コンポーネントの詳細を開閉することができます。

「Rigidbody」が追加される

オブジェクトに重力を働かせるためには、Use Gravityにチェックを入れます。

RigidbodyがBallに追加されました。これでBallが新たに重力の影響を受けるようになります。このように、**オブジェクトにコンポーネントを追加すること**を「アタッチ」と言います。

追加したリジッドボディが正しく機能しているか確認してみましょう。実行ツールのプレイをクリックしてゲームを実行してください。確認が終わったら、もう一度プレイをクリックして実行を停止しましょう。

fig ● 玉が正しく坂を転がり落ちていくようになった！

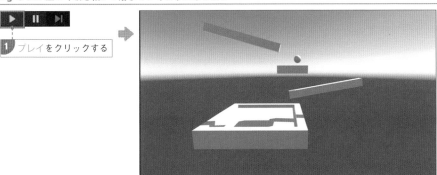

1 プレイをクリックする

▷ ゲームに重力を加える　Tips

　ゲーム世界に「重力」を加えることによって、玉を落下させたり、坂に沿って転がしたりすることができます。Unityではオブジェクトにリジッドボディを追加するだけで、「重力」を加えることができます。重力は「Y軸（垂直方向）」に沿って発生します。

　また、Unityではオブジェクト同士の「摩擦」や「反発」も表現することができます。ひとくちに「摩擦」と言っても、氷のようにツルツルの表面を滑っていく状態から、逆にザラザラでまったく滑らない状態までいろいろですが、Unityでは「摩擦係数」のパラメータを設定するだけで簡単に表現することができます。「反発係数」を設定すれば、ボールが床に当たって弾む様子も表現することができます。摩擦や反発は、後述する「Physic Material」を使って設定します。

StepUp

設置する坂の長さや角度、そして数は自由に設定していただいて構いません。玉の動きを見ながら調整していってください。

3-06 ゲームをアレンジしよう！

玉が坂を転がり落ちるようになりましたが、このままでは寂しいですね。いろいろと設定を変えて、よりゲームらしい見た目や動きになるようにしていきましょう。

1 球を増やす

玉が1つだけだと寂しいので、もっと数を増やしてみましょう。増やすためには、**既にあるBallを複製**すれば簡単です。

Hierarchyウィンドウの Ball を右クリックしてから Duplicate を選択してください。

Step 1 「Ball」を複製する

1 Ballを右クリックする

2 Duplicateをクリックする

複製されたオブジェクトは、元の名前に「(1)」などの連番を加えた名前になります。

3 複製されたBall(1)の名前を変更する
→Ball2

Step 2 「Ball2」の位置を設定する

Hierarchyウィンドウで
「Ball2」を選択しておく

1 Positionを設定する
→ X:0　Y:13　Z:3

実行して確認してみましょう。確認できたら、好きなだけ玉を追加してみてください。なお、本書では玉を追加しない状態で進めていきます。追加した玉は、右クリックしてDeleteを選択すれば削除できます。

fig ● 玉が追加された！

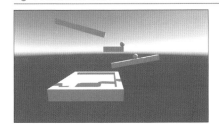

▷ **オブジェクト同士の当たり判定**　　Tips

シーン上に配置したCubeなどの素材は単なるグラフィックではなく、実体を持ったオブジェクトとして認識されます。サンプルでは玉が坂に沿って転がっていくところが確認できますが、これはUnityが坂（Cube）と玉（Sphere）を実体としてとらえ、それらの間で当たり判定を行ってくれているからです。そのうえで、玉は重力にしたがって坂を転がっていきます。

fig ● 玉と坂の当たり判定

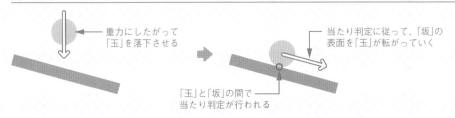

重力にしたがって
「玉」を落下させる

当たり判定に従って、「坂」の
表面を「玉」が転がっていく

「玉」と「坂」の間で
当たり判定が行われる

Unityでは、コライダー（Collider）という機能でオブジェクト同士の当たり判定を行っています。それぞれのオブジェクトにコライダーのコンポーネントを設定することで、Unityが自動的に当たり判定を行ってくれます。キャラクター同士がぶつかったり、攻撃がヒットしたりといった判定も行ってくれるので、ゲームを作る際にとても役立ちます。

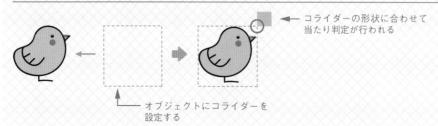

コライダーの形状に合わせて
当たり判定が行われる

オブジェクトにコライダーを
設定する

　コライダーのコンポーネントは後からアタッチすることもできますが、「Cube」や「Sphere」などのプリミティブ素材には、あらかじめオブジェクトの形状に沿ったコライダーが設定されています。Cubeには箱形の「Box Collider」、Sphereには球形の「Sphere Collider」が設定されています（Inspectorウィンドウで確認することができます）。この他にも、さまざまな形状のコライダーが用意されています。

　ちなみに、当たり判定を行わないようにすることもできます。Inspectorウィンドウで「Ball」の「Sphere Collider」のチェックを外すと、玉は坂や床をすり抜けて、まっすぐどこまでも落下し続けるようになります。

fig ● 当たり判定を行わないようにする

ここのチェックを外す

2　跳ね返りを設定する

　今の状態では、落下した球が坂や床に当たった際に、跳ね返らずに吸い付いたような動きをします。ですが、現実の世界では玉が地面に当たるとバウンドすることも多いです。現実の動きと同じように設定したいですね。この設定をするには、**Physic Material**というアセットを使います。Physic MaterialをColliderコンポーネントに加えることで、**オブジェクト同士が接触した際の摩擦や反発といった物理挙動**を設定することができます。

　Physic Materialとは、物質の素材の設定です。現実の世界では木材とコンクリートで跳ね返り方や摩擦が違うように、Unityの世界でも跳ね返り方と摩擦を設定することで現実の世界と同じような物理的な挙動をしてくれるようになります。

　Physic MaterialはProjectウィンドウに追加します。追加方法はこれまで何度も行ってきた手順と同じです。Projectウィンドウの＋をクリックして表示されるドロップダウンリストからPhysic Materialを選択します。

Step 1　「Physic Material」を追加する

1 ＋をクリックする

2 Physic Materialをクリックする

Assets→Create→Physic Material
メニューで作成することもできます。

Step 2　「Physic Material」の名前を変更する

「New Physic Material」が
追加される

「Physic Material」はプロ
ジェクトの「Assets」フォ
ルダーに追加します。

1 New Physic Materialの
名前を変更する
→Bounce

識別しやすいように名前を
変えておきましょう。任意
の名前でも構いません。

Step 3 「Bounce」のパラメータを調整する

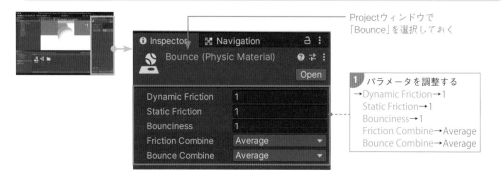

Projectウィンドウで
「Bounce」を選択しておく

1 パラメータを調整する
→Dynamic Friction→1
　Static Friction→1
　Bounciness→1
　Friction Combine→Average
　Bounce Combine→Average

Step 4 「Ball」に「Bounce」をドラッグ＆ドロップする

1 Ballをクリックする

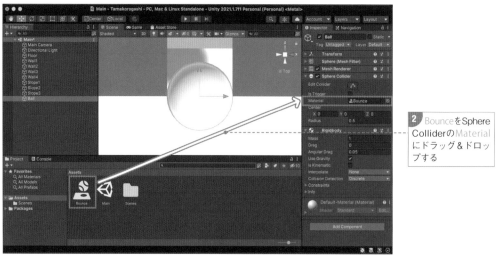

2 BounceをSphere
ColliderのMaterial
にドラッグ＆ドロッ
プする

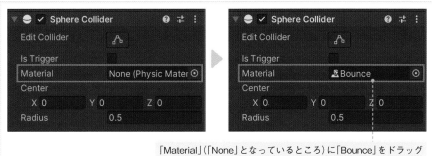

「Material」（「None」となっているところ）に「Bounce」をドラッグ&ドロップします。オブジェクトに「Physic Material」を適用する場合は、このようにColliderのMaterialに設定します。

▷ 「Physic Material」の設定項目　　Tips

　Physic Materialの設定項目を簡単に解説しておきます。各項目の値を変更することでオブジェクトの動作が目に見えて変わってきますので、いろいろと試してみてください。

▷ Dynamic Friction
　動的な状態（動いている状態）にあるオブジェクトの摩擦係数です。「0～1」の間の数字で設定できます。「0」だと摩擦がまったくない状態になり、氷の上を滑るような状態になります。逆に「1」だと摩擦が強くかかるので滑りにくくなります。なお、設定欄では「1」以上の値を入力することもできますが、「1」以上は動作に反映されません。

▷ Static Friction
　静的な状態（静止した状態）にあるオブジェクトの摩擦係数です。「0～1」の間の数字で設定できます。「0」だと摩擦がまったくない状態になり、氷の上を滑るような状態になります。逆に「1」だと摩擦が強くかかるので滑りにくくなります。

▷ Bounciness
　反発係数を設定する項目です。オブジェクトが物理的にぶつかった際に反発する係数を調整します。「0～1」の間の数字で設定することが可能です。「0」だとまったく跳ねず、「1」だと大きく（衝突した力をそのままに）飛び跳ねます。

▷ Friction Combine
　2つのオブジェクトが物理的にぶつかった際の摩擦係数の計算方法を指定します。

▷ Bounce Combine
　2つのオブジェクトが物理的にぶつかった際の反発係数の計算方法を指定します。

table ● Combine の設定

Average	2つのオブジェクトの係数の平均が適用される
Multiply	2つのオブジェクトの係数を掛けた値が適用される
Minimum	2つのオブジェクトのうち、係数が小さい値の方が適用される
Maximum	2つのオブジェクトのうち、係数が大きい値の方が適用される

3 玉の色を設定する

　これまで作ってきたステージの床や坂、転がす玉は全てグレー一色の見た目になっています。これでは少しもの寂しいですね。グレーはUnityのデフォルトのオブジェクト表示設定なのですが、もちろん好きな見た目に変更ができます。最後に見た目をもう少しリッチにしてこの章を終えたいと思います。

　オブジェクトの見た目を変更するには**マテリアル（Material）**というアセットを作成して、それをオブジェクトに設定する必要があります。マテリアルはオブジェクトの表面の見た目を設定するためのアセットです。オブジェクトの色を変更したり、表面の質感を設定することが可能になります。

　ここでは、「Ball」の色を赤色に変更してみます。「Material」をProjectウィンドウに追加して、オブジェクトにドラッグ＆ドロップで設定します。

Step 1 「Material」を追加する

1 ＋をクリックする

Assets→Create→Materialメニューで作成することもできます。

2 Materialをクリックする

「New Material」が追加される

「Material」はプロジェク
トの「Assets」フォルダー
に追加します。

3 New Materialの名前を変更する
→BallColor

Step 2 「BallColor」の色を設定する

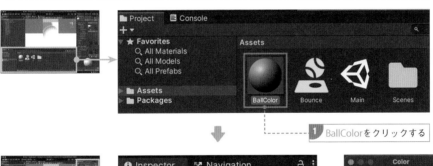

1 BallColorをクリックする

2 ここをクリックする

3 色を変更する
→赤

Step 3 「Ball」に「BallColor」をドラッグ＆ドロップする

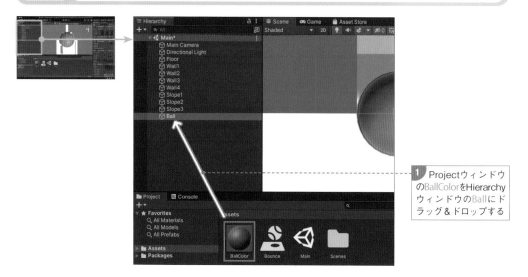

1 ProjectウィンドウのBallColorをHierarchyウィンドウのBallにドラッグ＆ドロップする

　Projectウィンドウに追加した「Material」をHierarchyウィンドウのオブジェクトにドラッグ＆ドロップすることで、そのオブジェクトにマテリアルを適用することができます。同じマテリアルを複数のオブジェクトに適用することも可能です。また、Projectウィンドウの「Material」の色などの設定を変更すると、それが適用されたオブジェクトも合わせて自動的に変化します。

fig ● 玉の色が赤くなった！

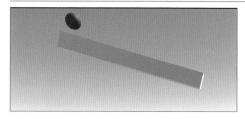

StepUp

マテリアルは色だけでなく、「Metallic」などの質感を設定することもできます。簡単にゲームの見た目を変えることができるので、いろいろと試してみましょう。

▷ マテリアル

　マテリアル（Material）とは、オブジェクトの色や質感の設定データです。ここではマテリアルの代表的な設定項目を紹介いたします。マテリアルはとても高度な設定が多いですが、Unityに慣れるまでの間はAlbedoで色を変えられるということだけを覚えておけば十分でしょう。

▷ Shader

　どのように画面に表示するかのルールを設定します。Unityではいくつかのルールが用意されていて、ルールごとに設定できるパラメータが変わってきます。今回は、Unityの標準Shaderである「Standard」を使用した場合のパラメータを紹介します。

▷ Rendering Mode

　オブジェクトの透明度を設定します。

- Opaque：不透明にする
- Cutout：一部透明にする
- Fade：透明の表現をオブジェクトがフェードイン・フェードアウトするような見た目にする
- Transparent：テクスチャの透明度にしたがって透過する

　Cutoutは画像（テクスチャ）データを使用して画面に表示する際、画像の透明度を見て一定の透明度以下は画面に表示しないといったことができる設定です。

▷ Albedo

　物質が光を反射した時の色の設定です。基本的な見た目を変える場合にはこれを設定します。

▷ Metallic

　物質の表面がどれくらい金属的かを設定します。金属的であればあるほど周りの景色を反射するようになり、Albedoで設定した色が見えにくくなります。

▷ Normal Map

　法線マップと呼ばれる、物質の凹凸具合を表現した特殊な画像を設定することができます。その画像を作るのは専門的な知識が必要なため、この表現をしたい場合にはアセットストアでNormal Mapが付属しているテクスチャのアセットをダウンロードすることをお勧めします。

▷ Height Map

　ハイトマップと呼ばれる、Normal Mapよりさらに凹凸間を高めた設定ができる画像を指定することができます。デコボコした画像をより効果的に見せることができる反面、負荷のとてもかかる表現です。

▷ Occlusion

　オクルージョンマップと呼ばれる、物質の一部がどれだけの強さの間接照明の影響を受けるかを表現した特殊な画像を設定することができます。例えば、フードのようなものを被った置物があった場合に、フードによって他の場所より暗くなるところを表現することができます。

▷ Emission

物質自身が発光するかどうかの設定ができます。自己発光させる場合、色と強さを設定できます。

▷ Tiling

画像のループ回数です。例えば、箱のある面にある画像が表示されている場合、Tilingを「X：5，Y：5」とすると、横方向縦方向それぞれ5回同じ画像が表示されるようになります。地面のオブジェクトのScaleを大きくすると画像が粗くなることがありますが、この設定をすることで綺麗に見せることができる場合があります。

▷ Offset

画像のずらしの設定です。例えば、箱のある面にある画像が表示されている場合、「X：0.5，Y：0」とすると画像の横方向に半分だけずらした見た目にすることができます。

完成

これで「玉転がしゲーム」の完成です。オブジェクトを配置してパラメータを調整しただけですが、ちゃんと3Dのゲームっぽい動作をしてくれます。プレイして確認してみてください。

オブジェクトに物理的な動きを加えるリジッドボディ（Rigidbody）、当たり判定を行うコライダー（Collider）、摩擦や反発を設定するPhysic Material、オブジェクトの見た目を設定するマテリアル（Material）など、Unityの特徴と言える機能も出てきました。いずれも設定を変更するだけで、簡単にゲームの見た目や動きを変えることができます。より自分らしい作品ができるように、いろいろとチャレンジしてみてください。

これで完成！

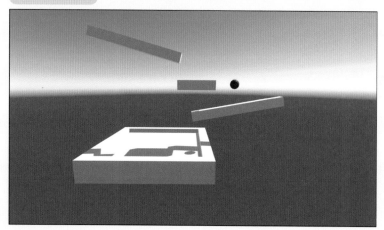

Chapter 4

2Dゲームを作ってみよう！

Chapter 4 で作るサンプル

　　Chapter3では3Dゲームを作りながらUnityの操作の基本を学んでいきました。Chapter4では、Unityの2Dゲーム制作機能について紹介しながら実際に2Dゲームを作っていきましょう。ここで作るのは、画面上から転がってくるヒヨコ玉を大砲の弾で撃ち落とすゲームです。

　　Chapter4では、主に以下の内容を学んでいきます。

- スプライトの取り込み方
- スプライトの切り分け方
- スクリプトの作り方
- スクリプトでプレイヤーを動かす方法
- 砲弾を発射する方法
- プレハブを使ったオブジェクトの自動生成

Chapter4 で作るサンプルの完成イメージ

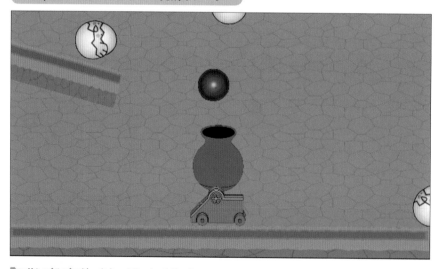

📁 **サンプルプロジェクト→HiyokoAttack**
https://isbn2.sbcr.jp/10982/ よりダウンロード

4-01　プロジェクトを作ろう！

　2Dゲーム用のプロジェクトを作成しましょう。Unityでは、**2Dゲームと3Dゲームそれぞれに対応したプロジェクトを作成できます。**

　2Dゲーム用のプロジェクトでは、Sceneビューは2Dゲーム用のものになり、常に正面からの視点で画面が表示され、XとYの2方向でオブジェクトの座標などを管理するようになります。シーンギズモも表示されなくなります。カメラの設定も2Dゲーム用のものになります。

　また、Projectウィンドウに外部から画像データを取り込んだ際に、2Dゲーム用の素材として配置できる「**スプライト**」に自動的に変更してくれます。

1　新規プロジェクトを作る

　新しいプロジェクトを作り、シーンを追加します。Unity Hubを起動して、新規プロジェクトの作成に進んでください。プロジェクトの保存先は、任意のフォルダーを指定してください（デフォルトのままでも大丈夫です）。

step 1　プロジェクトを作成する

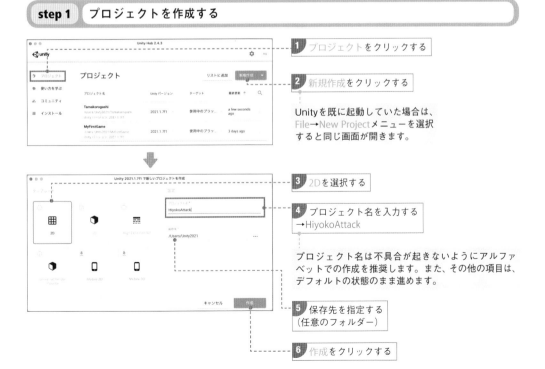

1 プロジェクトをクリックする

2 新規作成をクリックする

Unityを既に起動していた場合は、File→New Projectメニューを選択すると同じ画面が開きます。

3 2Dを選択する

4 プロジェクト名を入力する
→HiyokoAttack

プロジェクト名は不具合が起きないようにアルファベットでの作成を推奨します。また、その他の項目は、デフォルトの状態のまま進めます。

5 保存先を指定する
（任意のフォルダー）

6 作成をクリックする

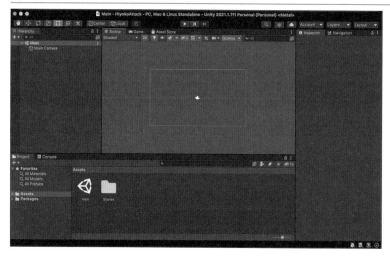

1　Fileをクリックする

File	Edit	Assets	GameObject
New Scene			⌘ N
Open Scene			⌘ O
Open Recent Scene			›
Save			⌘ S
Save As...			⇧ ⌘ S
Save As Scene Template...			

2　Save Asをクリックする

Save Scene

Save As:　Main

Tags:

Where:　📁 Assets

Cancel　　Save

3　シーン名を入力する
→Main

4　保存先を指定する
→Assets

5　Saveをクリックする

　　プロジェクトとシーンの準備ができました。Sceneビューは2D用になっています。また、2Dゲームではライトは使わないので、Hierarchyウィンドウにはカメラ（Main Camera）のみが追加されています。

fig ● 新規プロジェクトが作成された！

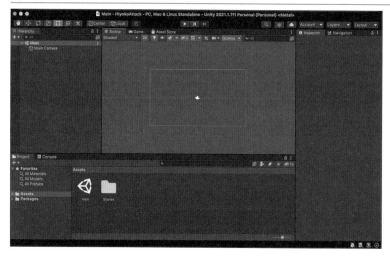

▷ 不要なタブを閉じる

　新規にプロジェクトを作成すると、画面中央のSceneビュー部分に「Game」や「Asset Score」などの
タブが表示されています（レイアウトが「Default」の場合です）。これらのタブは自由に閉じたり表示し
たりすることができます。

　タブ部分を右クリックしてClose Tabを選択すれば、タブを閉じることができます。閉じたタブは
Windowメニューから再度開くことができます。

fig ● タブを閉じる

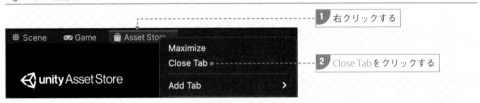

1 右クリックする

2 Close Tabをクリックする

2　ゲームに使う画像データをプロジェクトに取り込む

　砲台やヒヨコ玉など、ゲーム内で使用する画像データをプロジェクトに取り込みましょう。
本書のサポートページからダウンロードした**素材ファイル**をProjectウィンドウの「Assets」
フォルダーにドラッグ＆ドロップします。

　素材ファイルは「Unity2021Sample/Sozai/Chapter4」フォルダーに収録されています。

url サポートページ
https://isbn2.sbcr.jp/10982/

step 1　素材ファイルをダウンロードする

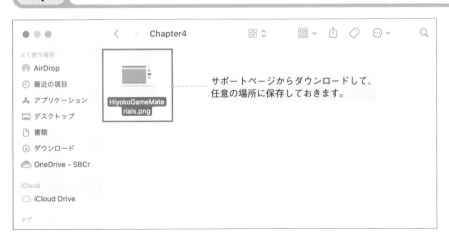

サポートページからダウンロードして、
任意の場所に保存しておきます。

step 2 素材ファイルをプロジェクトに取り込む

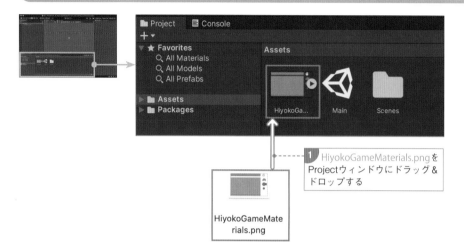

1 HiyokoGameMaterials.pngを Projectウィンドウにドラッグ＆ ドロップする

▷ スプライト

Tips

　2Dゲーム用のプロジェクトのProjectウィンドウにPNGなどの画像を取り込むと、「スプライト（Sprite）」と呼ばれる素材データに自動的に置き換えてくれます。Unityの2Dゲームでは、スプライトをゲーム素材としてシーン上に配置していきます。

　スプライトとして使用できるデータ形式はPSD、TIFF、JPG、TGA、PNG、GIF、BMP、IFF、PICTになります。画像データは余白部分を透明にした状態で用意しましょう。

fig ● 使用する画像データ

Unity2021Sample/Sozai/Chapter4/HiyokoGameMaterials.png

4-02 スプライトを切り分けよう！

　今回使用する画像素材は、1枚のデータの中にステージや背景、大砲など複数の画像がまとまっています。そのため、ゲーム内で使用するためにはまず、**それぞれの画像に切り分ける必要があります**。

　Unityでは、複数の画像がまとまったスプライトを、複数の画像のスプライトに切り分ける「Sprite Editor」という機能が用意されています。

fig ● 切り分ける前のスプライトの状態

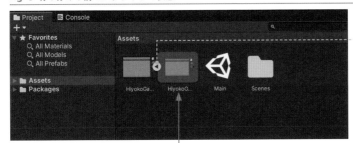

アイコンの▶部分をクリックすることで、表示を開閉できます。

複数の画像が1つのスプライトにまとまっている

1　Sprite Editorを立ち上げる

　Sprite Editorを使用するためには、まず対象のスプライトのSpriteModeの設定を「Multiple」にします。Multipleに設定することで、**1枚のデータのなかに複数の画像素材がある設定**になります。そして、Inspectorウィンドウの Sprite Editorボタンをクリックします。

step 1　SpriteEditor を立ち上げる

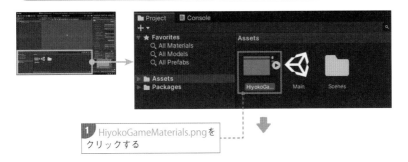

① HiyokoGameMaterials.pngをクリックする

Chapter 4　2Dゲームを作ってみよう！

2 Sprite Modeを設定する →Multiple

3 Sprite Editorをクリックする

4 Applyをクリックする

　　Sprite Editorが立ち上がります。スプライトの表示サイズは、マウスのホイールで拡大・縮小が可能です。作業しやすい大きさに調整してください。

fig ● Sprite Editor が立ち上がった！

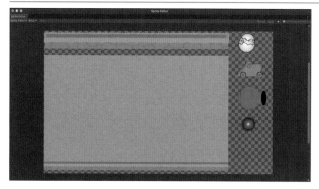

2 スプライトを切り分ける

　　Sprite Editorの左上にあるSliceボタンをクリックすると、切り分けを行うパラメータ群が表示されます。その中からTypeを「Automatic」にします。Automaticにすることで、画像の形に合わせてUnity側が自動的に切り分けを行ってくれます。

なお、スプライトは四角形で切り分けられます。Projectウィンドウに取り込む元画像データの背景を透明にしておかないと、背景も一緒に切り分けられてしまうので注意してください。

step 1　スプライトを切り分ける

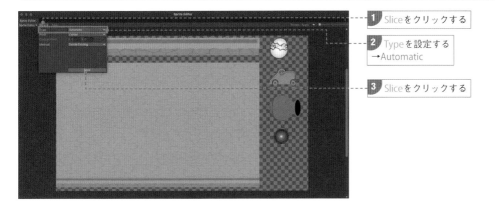

1 Sliceをクリックする

2 Typeを設定する
→Automatic

3 Sliceをクリックする

step 2　切り分けを適用させる

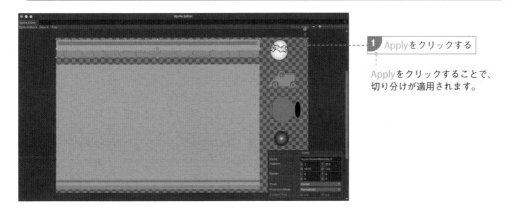

1 Applyをクリックする

Applyをクリックすることで、
切り分けが適用されます。

Projectウィンドウに戻って確認すると1枚の画像から複数の素材に切り分けられているのがわかります。ここまででゲームに使う素材の準備ができました。

切り分けが完了したら、Sprite Editorは画面左上（Windows版は右上）の×をクリックして閉じておきましょう。

fig ● 切り分けが行われる

fig ● スプライトを確認する

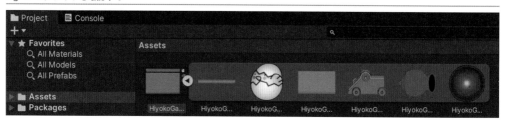

▷ 手動でスプライトを切り分ける　　　Tips

　ここで使用した画像データのように、シンプルな形状のものであれば「Automatic」による自動認識で
問題なく切り分けてくれます。しかし複雑な画像の場合などで、自動認識ではうまく切り分けられない
こともあります。その場合は、手動で切り分けを行います。

　手動で切り分けを行うには、Sprite Editor上で切り分けを行う範囲をマウスドラッグして、対象のオ
ブジェクトを囲みます。囲み終わったら、Applyボタンをクリックします。なお、切り分けを適用せずに
Sprite Editorを閉じる場合は、Revertボタンをクリックします。また、「Sprite」というウィンドウが画
面内に表示されて作業がしにくい場合は、ウィンドウ内の画像外の部分をクリックするなどで表示を消
すことができます。

fig ● 手動で切り分ける

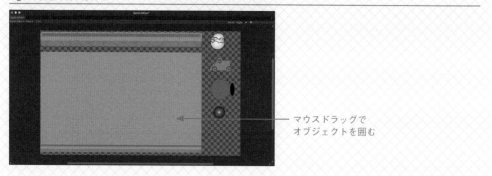

マウスドラッグで
オブジェクトを囲む

100

▷ 定期的に保存しよう

ゲームの制作中は何が起こるかわかりません。作業中は、定期的に保存を行いましょう。メニューバーから File→Save を選択すると、現在作業中のシーンを保存することができます。File→Save As を選択することで、特定のシーンを指定して保存することができます。File→Save Project を選択することで、プロジェクト全体をまとめて保存することができます。

4-03 ステージを配置しよう！

シーンに表示させるスプライトの準備ができました。さっそく Hierarchy ウィンドウに追加して、Scene ビューに表示していきましょう。スプライトも、ドラッグ＆ドロップで追加できます。

1 背景を配置する

背景のスプライトを配置します。

スプライトを自動認識で切り分けると、「ファイル名_0」「ファイル名_1」のように切り分けた素材ごとに連番で名前が付けられます。ここでは「HiyokoGameMaterials_2」が背景のスプライトになります（もしも別の番号になっている場合は、その番号に読み替えて作業を進めてください）。

step 1 「HiyokoGameMaterials_2」を配置する

1 HiyokoGameMaterials_2を
クリックする

2 Projectウィンドウの HiyokoGameMaterials_2 を
Hierarchyウィンドウへドラッグ＆ドロップする

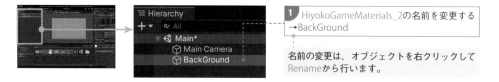

step 2 「HiyokoGameMaterials_2」の名前を変更する

1 HiyokoGameMaterials_2の名前を変更する
→BackGround

名前の変更は、オブジェクトを右クリックして
Renameから行います。

step 3 「BackGround」の位置、角度、大きさを設定する

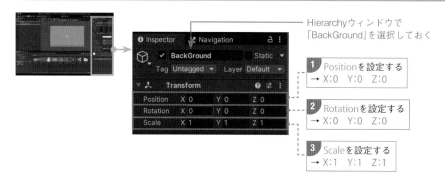

Hierarchyウィンドウで
「BackGround」を選択しておく

1 Positionを設定する
→ X:0　Y:0　Z:0

2 Rotationを設定する
→ X:0　Y:0　Z:0

3 Scaleを設定する
→ X:1　Y:1　Z:1

　　背景が配置されました、Sceneビューは以下のようになっているはずです。なお、背景の周囲に表示されている白い枠は、カメラ（Main Camera）が映す範囲を示しています（カメラの範囲は後ほど調整します）。

fig ● 背景が配置された！

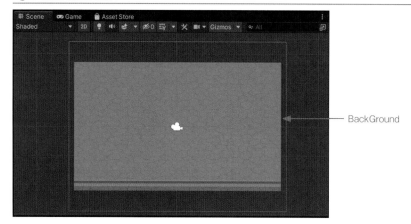

BackGround

2　床を配置する

続けて床を配置します。床のスプライトは「HiyokoGameMaterials_0」です。

step 1　「HiyokoGameMaterials_0」を配置する

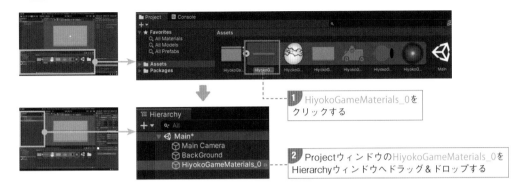

1 HiyokoGameMaterials_0を
クリックする

2 ProjectウィンドウのHiyokoGameMaterials_0を
Hierarchyウィンドウへドラッグ＆ドロップする

step 2　「HiyokoGameMaterials_0」の名前を変更する

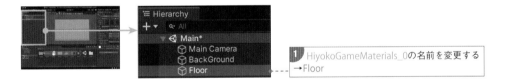

1 HiyokoGameMaterials_0の名前を変更する
→Floor

step 3　「Floor」の位置、角度、大きさを設定する

Hierarchyウィンドウで
「Floor」を選択しておく

1 Positionを設定する
→ X:0　Y:-3.7　Z:0

2 Rotationを設定する
→ X:0　Y:0　Z:0

3 Scaleを設定する
→ X:1　Y:1　Z:1

床が追加されました。Sceneビューは次のようになっているはずですが、場合によっては、
床が背景の後ろに隠れて見えなくなってしまうことがあります。描画順を設定して、正しく表
示されるようにしておきましょう。

fig ● 床が配置された！

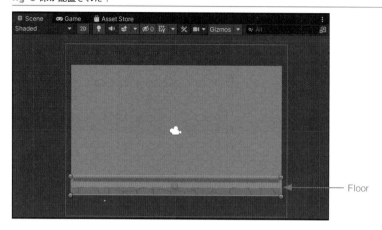

Floor

▷ 2Dゲームの Z座標   `Tips`

　2Dゲームでは「X,Y」の値でオブジェクトの位置や大きさを管理します。「0,0」が座標の原点（シーンの中心）となります。3Dゲームと同様、親子関係にした場合は「親」スプライトの位置が原点となります（54ページを参照）。

　しかし、InspectorウィンドウでオブジェクトのTransformコンポーネントを確認すると「Z」の欄が存在しています。2Dゲームでは、Position（位置）とScale（大きさ）の「Z」の値は基本意味がありません。これらは無視して大丈夫です。

3　レイヤーで描画順を設定する

　2Dゲームには、3Dゲームと違って奥行きの概念がありません。3Dゲームではカメラに近いオブジェクトを手前に表示することで描画順を決めていましたが、2Dでは奥行きがないので、その方法は使えません。そこで、**レイヤー（Layer）**※という機能で描画の順番を指定します。

　スプライトをドラッグ＆ドロップして作られるオブジェクトは、Transformの他に「Sprite Renderer」という描画に関する設定を行うコンポーネントを持っています。そのなかにある Order in Layerの値で描画順を設定することができます。値が大きいほど手前に描画されます。

　最初に配置した「BackGround」はデフォルトの「0」になっているので、「Floor」を「1」に設定して手前に描画されるようにしましょう。

▎Layer
↳ ここで出てきた「Layer」は、Chapter2（48ページ）で出てきた「Layer」とは異なる機能です。同じ呼び方でまぎらわしいのですが、混同しないように注意しましょう。

「Order in Layer」を設定する

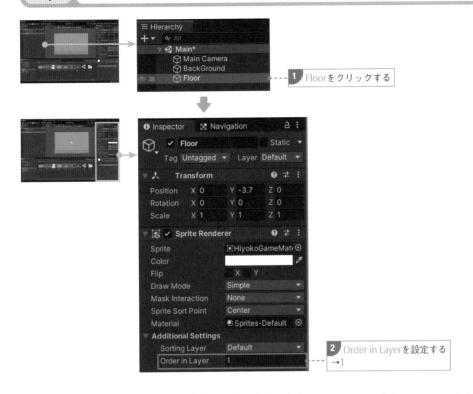

1 Floorをクリックする

2 Order in Layerを設定する
→1

▷ 「Sorting Layer」と「Order in Layer」

Tips

Sprite Rendererコンポーネントには、オブジェクトの描画順を設定するために「Sorting Layer」と「Order in Layer」という項目が用意されています。

Order in Layerの値が大きいオブジェクトを手前に描画します。Sorting Layerはオブジェクトをグループ分けするためのものです。同一グループ内のオブジェクトのうち、Order in Layerの値が大きいものを手前に描画します（デフォルトでは「Default」が設定されています）。

Order in Layerの値が同じ場合は、どちらを前に描画するかはUnityの判断になります。そのため、シーンに追加した際は前に描画されていても、再度プロジェクトを立ち上げた際には後ろに隠れてしまうこともあります。常にきちんと表示されるように、描画順を設定しておきましょう。

fig ◐ オブジェクトの描画順

Order in Layer = 0

Order in Layer = 1
（ヒヨコが木の前に描画される）

▷ スプライトとオブジェクトの関係　　　　　　　　　　　　　Tips

　Projectウィンドウに用意したスプライトは、Hierarchyウィンドウにドラッグ＆ドロップすることで、そのままシーン上に表示することができます。ただし、スプライトはオブジェクトそのものではありません。スプライトをドラッグ＆ドロップすることで、スプライトが設定されたオブジェクトを生成する仕組みになっています。

　スプライトをドラッグ＆ドロップした際に生成されるオブジェクトは、「Sprite Renderer」コンポーネントを持っています。そのなかに「Sprite」という設定項目があり、そこにスプライトのファイル名が設定されています。

fig ● Sprite Renderer コンポーネント

← ここにドラッグ＆ドロップした
　スプライトが設定されている

　「Sprite」の欄にProjectウィンドウから別のスプライトをドラッグ＆ドロップすると、オブジェクトの名前や位置はそのままで、表示される画像が切り替わります。スプライトはアセットであり、オブジェクトに設定して使用するものなのです。

4 床に当たり判定を設定する

　床を配置することができました。次は床の上に載せるプレイヤー（砲台）などのオブジェクトを配置するのですが、このままではオブジェクトが床をすり抜けてしまいます。**床に当たり判定を設定して、すり抜けないようにしましょう。**

　当たり判定は、Chapter3の「玉転がしゲーム」で解説したように、コライダーのコンポーネントをオブジェクトにアタッチします（81ページを参照）。2Dゲームでは、2D専用のコライダーが用意されているので、そちらを使います。

step 1　「Box Collider 2D」をアタッチする

　　　　　　1 Floorをクリックする

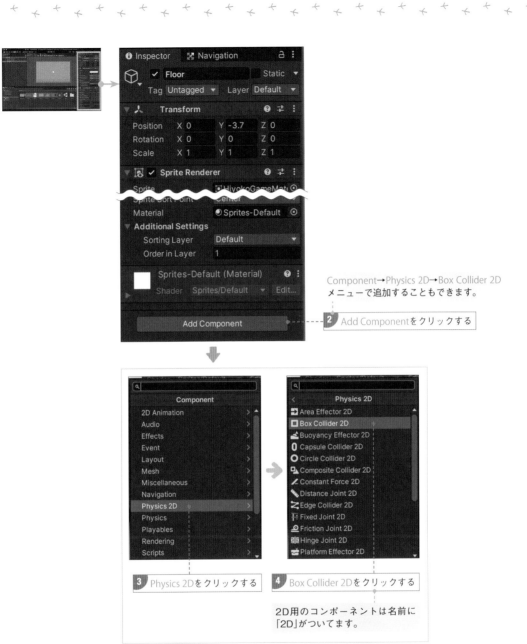

Component→Physics 2D→Box Collider 2D
メニューで追加することもできます。

2 Add Componentをクリックする

3 Physics 2Dをクリックする

4 Box Collider 2Dをクリックする

2D用のコンポーネントは名前に
「2D」がついてます。

fig ● 床に当たり判定が設定された！

コライダーは緑色の線で示されます。

4-04 プレイヤーを配置しよう!

プレイヤーは複数のオブジェクトを組み合わせて作ります。複数のオブジェクトをまとめて動かせるように「親子関係」を設定します。

1 「Player」を配置する

ユーザーが操作する「車」を配置します。「HiyokoGameMaterials_3」が車のスプライトになります。

step 1 「HiyokoGameMaterials_3」を配置する

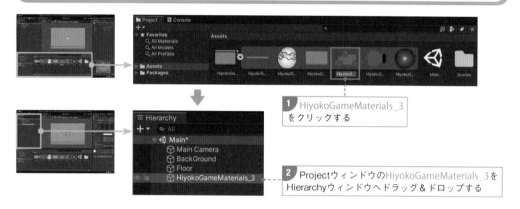

1 HiyokoGameMaterials_3 をクリックする

2 ProjectウィンドウのHiyokoGameMaterials_3を Hierarchyウィンドウへドラッグ＆ドロップする

step 2 「HiyokoGameMaterials_3」の名前を変更する

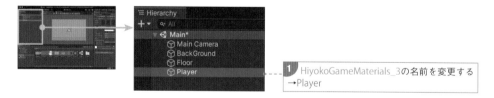

1 HiyokoGameMaterials_3の名前を変更する →Player

step 3 「Player」の位置を設定する

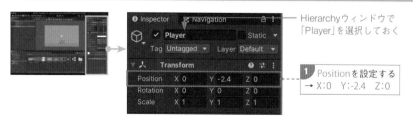

Hierarchyウィンドウで 「Player」を選択しておく

1 Positionを設定する → X:0　Y:-2.4　Z:0

2 描画順を設定する

Sprite RendererコンポーネントのOrder in Layerを設定して、プレイヤーが背景や床の後ろに隠れてしまわないようにしましょう。

step 1 「Order in Layer」を設定する

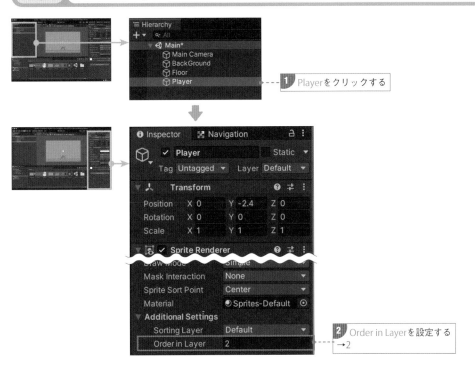

1 Playerをクリックする

2 Order in Layerを設定する →2

車（Player）が配置されました。タイヤと床の高さが揃うようにY座標を調整しましょう。大きさは変更なしで大丈夫です。

fig ●「Player」が配置された！

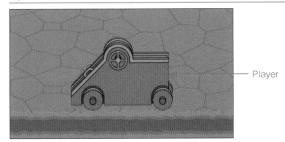

Player

3 「CannonMuzzle」を配置する

次は「砲塔」を配置します。砲塔のスプライトは「HiyokoGameMaterials_4」です。

step 1 「HiyokoGameMaterials_4」を配置する

1 HiyokoGameMaterials_4 をクリックする

2 ProjectウィンドウのHiyokoGameMaterials_4を Hierarchyウィンドウへドラッグ＆ドロップする

step 2 「HiyokoGameMaterials_4」の名前を変更する

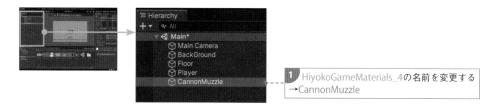

1 HiyokoGameMaterials_4の名前を変更する →CannonMuzzle

step 3 「CannonMuzzle」の描画順を設定する

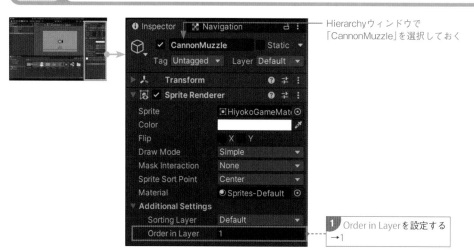

Hierarchyウィンドウで 「CannonMuzzle」を選択しておく

1 Order in Layerを設定する →1

4 「CannonMuzzle」を親子関係にする

車（Player）と砲塔（CannonMuzzle）を「親子関係」にして、まとめて動かせるようにします。

step 1 「Player」と「CannonMuzzle」を親子関係にする

1 CannonMuzzle をクリックする

2 Playerにドラッグ＆ドロップする

オブジェクトを親子関係にするには、「子」のオブジェクトを「親」のオブジェクトにドラッグ＆ドロップします。

「親子関係」が設定される

step 2 「CannonMuzzle」の位置と角度を設定する

Hierarchyウィンドウで「CannonMuzzle」を選択しておく

1 Position を設定する
→ X:0　Y:1.5　Z:0

2 Rotation を設定する
→ X:0　Y:0　Z:90

▷ 親子関係にしたオブジェクトの座標
Tips

　オブジェクトを親子関係にすると、「子」オブジェクトの位置は、「親」オブジェクトからの相対的な座標で決まります。上記のように「子」オブジェクトの座標を「X：0, Y：1.5」と指定した場合は、「親」オブジェクトから「Y」方向に「1.5」離れた位置に表示されます（以下の図では座標がわかりやすいように操作

ツールを表示しています。ツールの中心の青丸が座標の基準点となります。また基準点の位置は「Pivot/ Center」の切り替えで異なります（46ページを参照）。ここでは「Pivot」で表示しています）。

fig ● 「子」オブジェクトの位置

「親」オブジェクトの座標　　　　「子」オブジェクトの座標

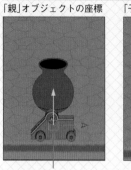 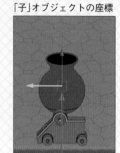

「X:0」「Y:-2.4」　　　　　　　「X:0」「Y:1.5」 ●------ 「親」オブジェクトの位置を原点として、そこから「1.5」上の位置に表示されます。

　「親」オブジェクトを動かすと「子」オブジェクトも合わせて動きます。例えば「親」オブジェクトの座標を「3, -2.4」として右に移動すると、「子」オブジェクトも一緒に右に動きます。ただし、「子」オブジェクトの座標は「親」オブジェクトからの相対的な距離なので、表示位置が変わっても座標は「0, 1.5」のままとなります。

　なお、「親」オブジェクトを動かすと「子」オブジェクトも一緒に動きますが、「子」オブジェクトを動かしても「親」オブジェクトは動きません。

fig ● 「親子関係」のオブジェクトを移動する

「親」オブジェクトの座標

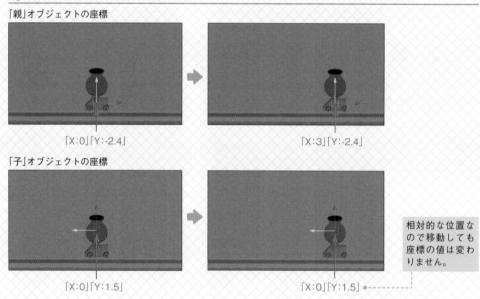

「X:0」「Y:-2.4」　　　　　　　　　　　　　　　　「X:3」「Y:-2.4」

「子」オブジェクトの座標

「X:0」「Y:1.5」　　　　　　　　　　　　　　　　「X:0」「Y:1.5」 ●------ 相対的な位置なので移動しても座標の値は変わりません。

5 「CannonMuzzle」に当たり判定を設定する

砲塔に当たり判定用のコライダーを設定しましょう。ここでは設定する「Polygon Collider 2D」コンポーネントは、Box Collider 2Dのような事前に形状の決まっているコライダーとは違い、各オブジェクトの形に合わせて当たり判定を生成してくれます。

step 1 「Polygon Collider 2D」を追加する

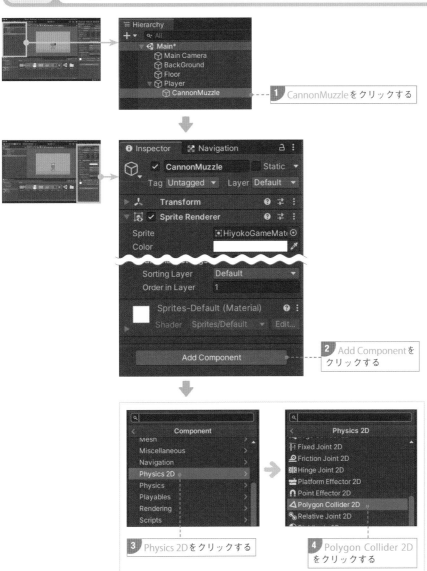

1 CannonMuzzleをクリックする

2 Add Componentを
クリックする

3 Physics 2Dをクリックする

4 Polygon Collider 2D
をクリックする

fig ● オブジェクトの形に合わせた当たり判定が生成される

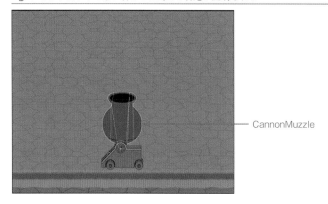

CannonMuzzle

　これで砲塔（CannonMuzzle）が配置され、オブジェクトの形に合わせた当たり判定が生成されます。ただし、既に形が決まっているコライダーより形状が複雑になる傾向があり、処理負荷をかけるので多用することは避けた方がよいでしょう。

6 発射口を配置する

　砲弾を発射する「発射口」を配置します。「空のオブジェクト」を車（Player）の「子」オブジェクトとして追加し、そこを砲弾の発射位置としましょう。砲弾を発射する処理は後ほどスクリプトを使って作ります。

　「空のオブジェクト」はTransformコンポーネントのみを持つ目に見えないオブジェクトです。目には見えませんが、シーン上にはしっかりと存在しています。

step 1 「空のオブジェクト」を追加する

1 ＋をクリックする

2 Create Emptyをクリックする

Playerを選択した状態でCreate→Create Empty Childをクリックすると、最初から「子」オブジェクトとして作成されます。

「空のオブジェクト」が生成される

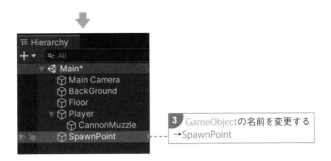

3 GameObjectの名前を変更する
→SpawnPoint

step 2 「親子関係」を設定する

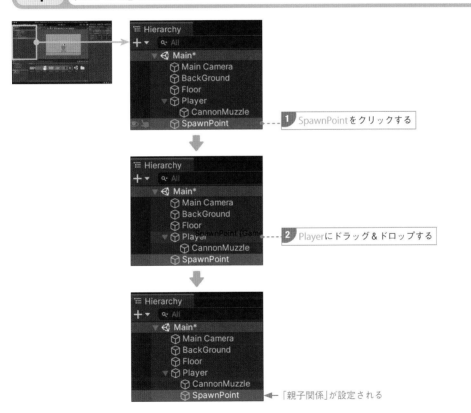

1 SpawnPointをクリックする

2 Playerにドラッグ＆ドロップする

「親子関係」が設定される

step 3 「SpawnPoint」の位置を設定する

Hierarchyウィンドウで
「SpawnPoint」を選択しておく

1 Positionを設定する
→ X:0　Y:3　Z:0

「空のオブジェクト」を生成する際に、Positionの「Z」の値が「0」以外になる場合もあります。そのままでも特に問題ありませんが、気になるようなら「0」に設定しておきましょう。

発射口（SpawnPoint）は砲塔の先にくるように配置します。細かい位置は、後ほどゲームを実行しながら調整していきましょう。

fig ● 発射口が追加された！

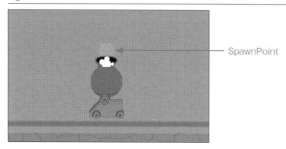

SpawnPoint

7 カメラを設定する

カメラが映す範囲はSceneビュー上の白い枠線で示されます。Main Cameraが持つCameraコンポーネントのSizeの値を調整して、**画面に映る範囲を変更しましょう**。

fig ● カメラの映す範囲を調整する

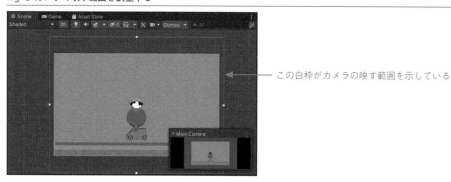

この白枠がカメラの映す範囲を示している

step 1 「Size」を設定する

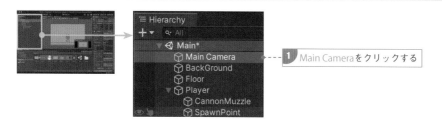

1 Main Cameraをクリックする

2 Sizeを設定する
→ 4.1

fig ● カメラの範囲が設定された！

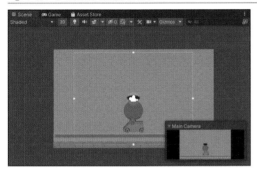

▷ 画面サイズとアスペクト比 Tips

　Unityで作成するゲームの画面の大きさは、実行するPCやスマートフォンの画面サイズや解像度に合わせて変更されます（Unityエディター内で実行する場合はGameビューの大きさに合わせて変わります）。実行する環境によっては、ゲーム画面のアスペクト比（幅と高さの比率）も変わってしまいます。アスペクト比を明示的に指定することで、どのような環境でも実行画面の縦横比を保ったままにすることができます。

　ゲーム実行時のアスペクト比定は、Gameビューのコントロールバーにある Free Aspectをクリックすると表示されるドロップダウンリストから選択します。独自の比率を追加することもできます。

fig ● アスペクト比を設定する

リストからアスペクト比
を設定する

独自のアスペクト比を
追加することもできる

4-05 プレイヤーを操作できるようにしよう！

キー入力でプレイヤーを操作できるようにしましょう。ここから、ゲームを動かす「スクリプト」が登場します。

1 スクリプトを追加する

Unityでは、キャラクターや背景の表示など、一般的なゲームに共通する処理の多くを自動的に行ってくれます。しかし、キャラクターの操作などのゲーム独自の処理は、自分で作る必要があります。

通常のゲームでは、目的に合わせて複数のスクリプトを作成します。このサンプルでも、「プレイヤーを動かすスクリプト」「砲弾を発射するスクリプト」「ヒヨコ玉を生成するスクリプト」などのスクリプトを作っていきます。

スクリプトの作成は、以下の手順で行います。

- ❶Projectウィンドウにスクリプトのファイルを追加する
- ❷スクリプトを記述する（プログラミングを行う）
- ❸スクリプトをオブジェクトに設定（アタッチ）する

まずは、「プレイヤーを動かすスクリプト」から作っていきましょう。スクリプトは、Projectウィンドウの＋をクリックして表示されるドロップダウンリストからC# Scriptを選択します。

step 1 スクリプトを追加する

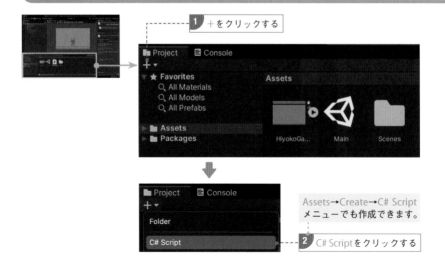

118

スクリプトが追加される

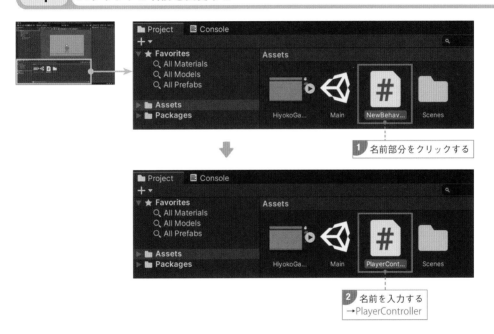

step 2　スクリプトの名前を変更する

1 名前部分をクリックする

2 名前を入力する
→PlayerController

　Unityでは、「C#」というプログラミング言語を使ってスクリプトを作成していきます。ここで作成するスクリプトは、本書のサポートページからダウンロードすることができます。

url サポートページ
https://isbn2.sbcr.jp/10982/

119

2 スクリプトを記述する

　追加したスクリプトの中身を記述していきます。ここで作るのは、**左右の矢印キーに合わせてプレイヤーを動かす処理**です。また、ステージからプレイヤーが落ちないように、**移動範囲を制限する処理**も作ります。

　Unityでは、スクリプトを記述するためのエディターツールとして「Visual Studio」を利用します。Visual StudioはUnityをインストールする時に、一緒にインストールしています。Projectウィンドウ上でスクリプトのアイコンをダブルクリックすると、エディターツールが起動して編集可能になります※。

step 1 　エディターツールを起動する

1 PlayerControllerをダブルクリックする

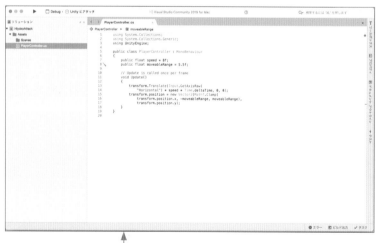

エディターツールが起動する

Visual Studio
　Visual Studioを使用する際に、サインインを求められることがあります。その際はMicrosoftアカウントを作成してサインインを行ってください。既にアカウントを持っている場合は、既存のアカウントが利用できます。

step 2　スクリプトを記述する

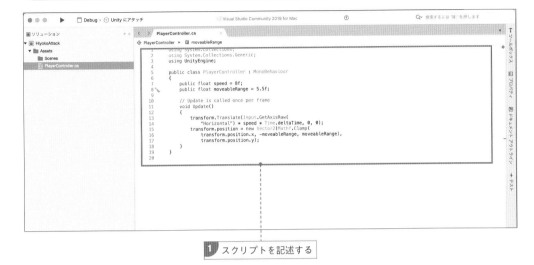

1 スクリプトを記述する

step 3　スクリプトを保存する

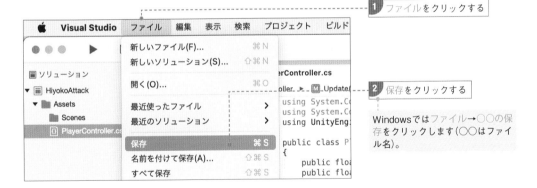

1 ファイルをクリックする

2 保存をクリックする

Windowsではファイル→○○の保存をクリックします（○○はファイル名）。

　慣れないうちはスクリプトを全部自分で入力するのは大変でしょう。本書のサポートページ（https://isbn2.sbcr.jp/10982/）では、スクリプトの中身のテキストも配布しています。「Unity 2021Sample/Script/Chapter4/Text」フォルダー内のテキストファイルの中身をコピー＆ペーストでご使用ください。

　スクリプトの中身を見ても、最初は何が書いてあるかわからないと思います。**本書では、「スクリプト内で何を行っているか」と「スクリプトをどうやって使うか」を重点的に学んでいってください。**

　入力したスクリプトの内容を以下に示します。

script　PlayerController.cs　プレイヤーを操作する処理

```
1    using System.Collections;
2    using System.Collections.Generic;                                  ❶
3    using UnityEnginc;

5    public class PlayerController : MonoBehaviour                       ❷
6    {
7        public float speed = 8f;
8        public float moveableRange = 5.5f;                             ❸

10       // Update is called once per frame
11       void Update()                                                   ❹
12       {
13           transform.Translate(Input.GetAxisRaw(
14               "Horizontal") * speed * Time.deltaTime, 0, 0);          ❺
15           transform.position = new Vector2(Mathf.Clamp(
16               transform.position.x, -moveableRange, moveableRange),   ❻
17               transform.position.y);
18       }
19   }
```

Unity2021Sample/Script/Chapter4/Text/PlayerController_1.txt

「プレイヤーを操作する」スクリプト

このスクリプトは、次のような処理を行っています。

❶使用するライブラリの宣言

最初に、スクリプト内で使用するライブラリの宣言を行っています。ライブラリはスクリプト内で使用する基本的な機能をまとめたものです。"using" を使って宣言することで、スクリプト内で使用可能になります。"using UnityEngine" の１行があることで、Unity が用意するライブラリを使用することができます。

```
1    using System.Collections;
2    using System.Collections.Generic;
3    using UnityEngine;
```

❷クラスの宣言

クラスの宣言を行っています。"class" に続けてクラス名が指定されています。通常、クラスとスクリプトファイルの名前は一致させます（一致しないと後でオブジェクトにアタッチできなくなります）。ここではクラス名は「PlayerController」となります。

```
5    public class PlayerController : MonoBehaviour
```

122

❸変数の宣言

　スクリプト内で使用する変数を宣言しています。ここでは、プレイヤーの移動速度のための "speed" と、プレイヤーの移動範囲のための "movableRange" を宣言しています。また、それぞれに初期値を設定しています。

```
7        public float speed = 8f;
8        public float moveableRange = 5.5f;
```

❹Update 関数

　Update 関数は、ゲームプレイ中に繰り返し実行される関数です。この中に、「キー入力を受け取ってプレイヤーを動かす処理」と「プレイヤーの移動範囲を制限する処理」を記述しています。

```
11       void Update()
```

❺プレイヤーを動かす処理

　"transform.Translate" はオブジェクトを移動させる命令です。

　"Input.GetAxisRaw" はキー入力に合わせた値を取得する命令で、"Horizontal" は左右の矢印キー（あるいは [A] と [D] キー）を意味します。右矢印キー（D）を押すと「1」、左矢印キー（A）を押すと「-1」が取得できるので、それに移動距離の変数である speed の値を掛けることで、左右にどれだけ移動するかが決まります。

　"Time.deltaTime" を掛けることで、端末スペックに関係なく 1 秒間（時間基準）で進む距離を調整することができます。これはゲームを実行する端末によって実行速度が変わらないようにする工夫です。単純に Update 関数で繰り返しを行うと、端末の性能によって関数の呼び出し回数が変わってしまい、高スペックの端末の方が速く移動することになります。Time.deltaTime を使えば、どの端末でも実行間隔が均等になるように Unity が調整してくれます。

```
13       transform.Translate(Input.GetAxisRaw(
14           "Horizontal") * speed * Time.deltaTime, 0, 0);
```

❻移動範囲を制限する処理

　プレイヤーの移動できる範囲を制限しています。仮にどこまでも動けるのなら、プレイヤーはカメラから消えて、床から落ちてしまいます。そこで、プレイヤーが移動できる範囲を床の上のみに制限しています。"Mathf.Clamp(transform.position.x, -moveableRange, moveableRange)" でプレイヤーの X 軸のポジションに最小値と最大値を指定しています。Y 軸については特に制限をかける必要はないので、そのままにしています。

　moveableRange はプレイヤーの移動範囲を決める変数で、宣言の際に「5.5」が設定されています（8行目）。したがって「-5.5」から「5.5」の間に移動範囲が制限されます。

```
15       transform.position = new Vector2(Mathf.Clamp(
16           transform.position.x, -moveableRange, moveableRange),
17           transform.position.y);
```

Chapter 4　2Dゲームを作ってみよう！

▷ 入力ミスを修正する

　スクリプトの入力が終了した、もしくは途中で休憩したくなった際には、「Command＋S」キー（Windows は「Ctrl＋S」キー）を押して保存しておきます。

　Visual Studioでスクリプトを書き終わったら、Unityに戻って動作を確認しましょう。Unityは、スクリプトに誤入力などの間違いがないか自動的にチェックしてくれます。スクリプトの誤入力でエラーが発生すると、Unityの下部（Projectウィンドウの下）に赤色でアラートが表示されます。この赤いアラート部分をクリックすると、Consoleウィンドウに切り替わりエラーの詳細が表示されます。表示内容にしたがってミスを修正していきましょう。

　また、Visual Studio上でスクリプトを変更して保存した場合、通常はUnity側でも対応するスクリプトに変更が反映されます。もしも反映されない場合は、Projectウィンドウでスクリプトを右クリックし、Refreshを選択してみましょう。それで変更が反映されるはずです。

▷ Start関数とUpdate関数

　Unityのスクリプトには「Start」と「Update」という関数が存在します。Startは、ゲームを実行した際に、最初に1回だけ実行される関数です。通常は、ゲームの設定などを行う処理をここに記述します。

　Updateはフレームごとに繰り返し実行される関数です。オブジェクトを動かす処理など、ゲーム中に何度も実行する処理をここに記述します。

3　スクリプトをオブジェクトにアタッチする

　Projectウィンドウに追加したスクリプトをゲーム内で使用するためには、何らかのオブジェクトに設定（アタッチ）する必要があります。「PlayerController」はプレイヤーを動かすためのスクリプトなので、プレイヤーのオブジェクトである「Player」にアタッチしましょう。

step 1　スクリプトをオブジェクトにアタッチする

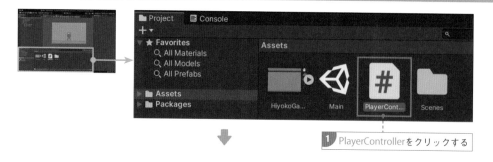

1 PlayerControllerをクリックする

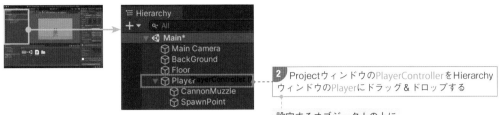

2 Projectウィンドウの PlayerController を Hierarchy ウィンドウの Player にドラッグ＆ドロップする

設定するオブジェクトの上に
ドラッグ＆ドロップします。

　スクリプトを設定したオブジェクトには、「スクリプト名（Script）」という名前のコンポーネントが追加されます。Inspectorウィンドウで確認してみましょう。

fig ● 「Player」のコンポーネント

← スクリプトのコンポーネントが追加された

▷ スクリプトのコンポーネント

　スクリプトのコンポーネントの中身を見てみましょう。「Speed」と「Moveable Range」という項目があります。この項目の名前に見覚えはありませんか？ 同じ名前の変数をスクリプトの中で宣言しているはずです。

　Unityのスクリプトでは、関数の外で"`public`"を付けて宣言した変数はパラメータとなり、コンポーネントの項目として表示され、Inspectorウィンドウ上で直接値を変更することが可能になります。

　これはUnityの大きな特徴の1つです。通常のゲーム制作では、キャラクターの攻撃力や移動スピードなど、さまざまなパラメータを調整しながらバランスをとっていきます。開発画面上で動作確認をしながらパラメータを調整することで、効率的に開発を進めることができます。

4 ゲームを実行して動作を確認する

ここまでできれば、キー操作に合わせてプレイヤーを左右に動かすことができます。ゲームを実行して確認しましょう。

fig ● ゲームを実行する

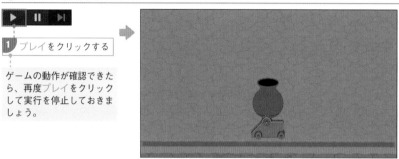

4-06 砲弾を撃てるようにしよう！

砲弾を作りましょう。ここではUnityの特徴な機能であるプレハブ（Prefab）という仕組みを使っていきます。

1 「CannonBall」を追加する

砲弾のスプライトは「HiyokoGameMaterials_5」です。ProjectウィンドウからHierarchyウィンドウにドラッグ＆ドロップして、砲弾のオブジェクトを追加しましょう。

step 1 「HiyokoGameMaterials_5」を配置する

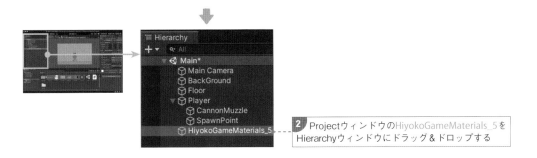

2 ProjectウィンドウのHiyokoGameMaterials_5を
Hierarchyウィンドウにドラッグ＆ドロップする

step 2 「HiyokoGameMaterials_5」の名前を変更する

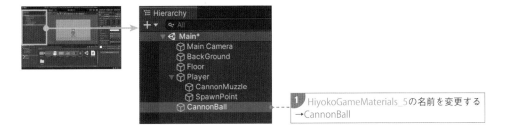

1 HiyokoGameMaterials_5の名前を変更する
→CannonBall

step 3 「Order in Layer」を設定する

Hierarchyウィンドウで
「CannonBall」を選択しておく

1 Order in Layerを設定する
→ 1

「CannonBall」の位置は特に
指定はありません。

2 物理挙動と当たり判定を追加する

砲弾に重力が働くようにRigidbody 2Dコンポーネントを追加します。また、他のオブジェクトと当たり判定が行えるようにCircle Collider 2Dコンポーネントを追加します。

step 1 「Rigidbody 2D」を追加する

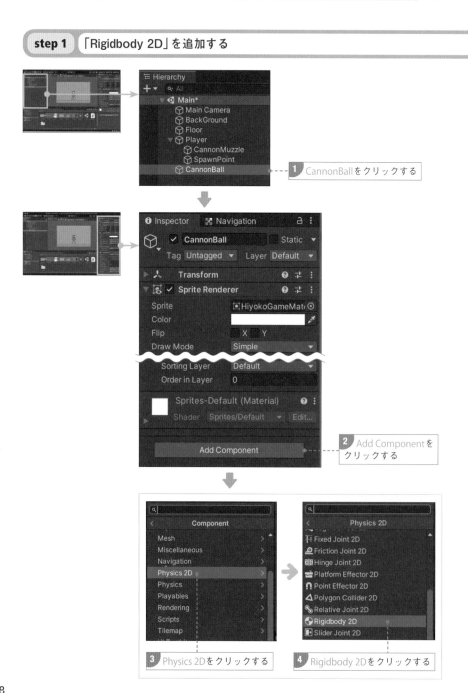

1 CannonBallをクリックする

2 Add Componentをクリックする

3 Physics 2Dをクリックする

4 Rigidbody 2Dをクリックする

step 2 「Circle Collider 2D」を追加する

Hierarchyウィンドウで
「CannonBall」を選択しておく

① Add Componentをクリックする

② Physics 2Dをクリックする

③ Circle Collider 2Dを
クリックする

Chapter 4　2Dゲームを作ってみよう！

fig ● 砲弾に当たり判定が設定された！

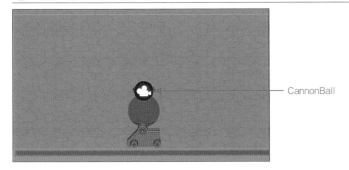

CannonBall

▷ コライダーと当たり判定の大きさ

Unityにあらかじめ用意されているプリミティブ素材は、配置したばかりの状態では自分の形と同じコライダーが設定されています。今回の例のようにスプライトを元にしたオブジェクトに対してコライダーを追加すると、オブジェクトの大きさに合わせてコライダーが設定されます。

fig ● オブジェクトにコライダーを設定する

キャラクターなどの　　コライダー　　オブジェクトに合わせて
オブジェクト　　　　　　　　　　　　コライダーが設定される

コライダーのコンポーネントにあるSizeやRadiusを設定することで、コライダーの大きさを変更することができます。コライダーの大きさを変えることで、オブジェクトの見た目よりも当たり判定を大きくしたり、小さくしたりすることができます。Offsetで、コライダーの位置を指定した方向にスライドさせることもできます。

また、オブジェクトと異なる形状のコライダーを設定したり、1つのオブジェクトに対して複数のコライダーを設定することもできます。

fig ● コライダーの大きさや位置を変える

拡大した範囲で判定　　縮小した範囲で判定　　当たり判定の位置を
が行われる　　　　　が行われる　　　　　ずらすこともできる

▷ コンポーネントを削除する

オブジェクトに設定したコンポーネントを削除する場合は、Inspectorウィンドウのコンポーネント名が表示されている部分にある：をクリックすると表示されるドロップダウンリストから、Remove Componentを選択します。

fig ● コンポーネントを削除する

1 ：をクリックする　　　2 Remove Component を
　　　　　　　　　　　　クリックする

3 「CannonBall」をプレハブ化する

プレハブ（Prefab）とは、**オブジェクトをスタンプのように複製して簡単に量産を可能にする**Unityの機能です。砲弾（CannonBall）をプレハブ化して、複製できるようにしましょう。

Hierarchyウィンドウからプレハブ化するオブジェクトをProjectもウィンドウにドラッグ＆ドロップします。これだけでオブジェクトをプレハブ化することができます。

step 1 プレハブを作成する

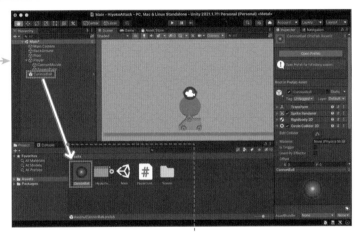

1 Hierarchyウィンドウの CannonBall
を Projectウィンドウにドラッグ＆ド
ロップする

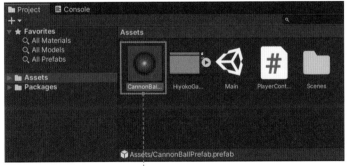

2 CannonBall の名前を変更する
→CannonBallPrefab

クリックで編集可能な状態に
してから名前を変更します。

Chapter 4　2Dゲームを作ってみよう！

131

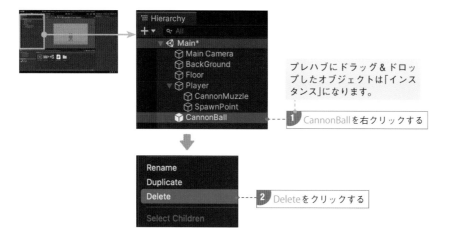

プレハブにドラッグ＆ドロッ
プしたオブジェクトは「インス
タンス」になります。

1 CannonBallを右クリックする

2 Deleteをクリックする

　砲弾（CannonBall）は、ゲーム開始後にスクリプトによって生成できるようにしていきます。
ゲーム開始時にはシーン上に必要ないので、消しておきましょう。

fig ● 砲弾はゲーム開始後に生成する

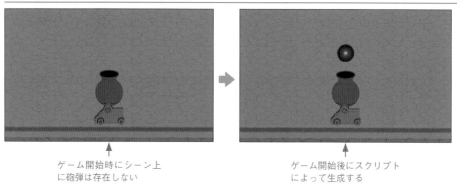

ゲーム開始時にシーン上
に砲弾は存在しない

ゲーム開始後にスクリプト
によって生成する

▷ プレハブとインスタンス   Tips

　Projectウィンドウにあるプレハブは、Hierarchyウィンドウにドラッグ＆ドロップすることでシーン上
に配置することができます。1つのプレハブから複数のオブジェクトを生成することができるので、同じ
設定（形や当たり判定など）のオブジェクトを簡単に量産することができます。
　プレハブから生成されたオブジェクトを「インスタンス」と呼びます。インスタンスはドラッグ＆ドロッ
プだけでなく、スクリプトから生成することもできます。

fig ● プレハブでオブジェクトを量産する

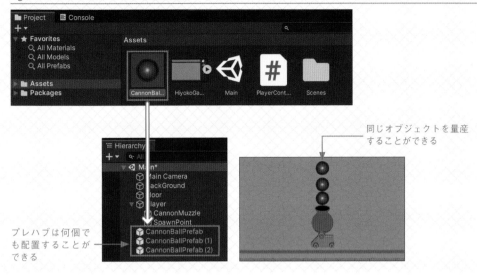

同じオブジェクトを量産
することができる

プレハブは何個で
も配置することが
できる

▷ **インスタンスをまとめて変更する**　　Tips

　Projectウィンドウ上のプレハブの設定を変更すると、そこから生成された全てのインスタンスに変更
が反映されます。逆に、Hierarchyウィンドウ上のインスタンスの設定を変更しても、元になったプレハ
ブや他のインスタンスには影響しません。
　全てのプレハブをまとめて変更する場合はProjectウィンドウの「プレハブ」を編集し、個別のインスタ
ンスを変更する場合はHierarchyウィンドウ上の「インスタンス」を編集します。

fig ● プレハブの設定はインスタンスに反映される

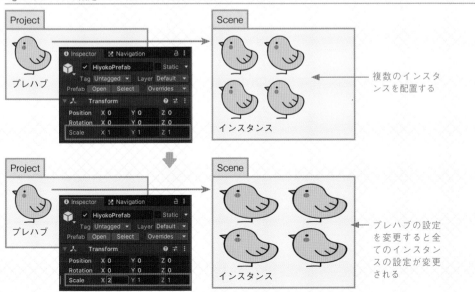

複数のインスタ
ンスを配置する

プレハブの設定
を変更すると全
てのインスタン
スの設定が変更
される

なお、インスタンスに対して行った変更をプレハブに反映するには、Inspectorウィンドウでインスタンスのコンポーネントの値を設定して、Overrides→Apply Allボタンをクリックします。

fig ● インスタンス側の設定をプレハブに反映させる

← 変更後に「Overrides→Apply All」をクリックする

4 砲弾を発射できるようにする

スペースキーを押すと砲弾が発射されるようにしましょう。プレイヤーを動かすスクリプト（PlayerController）に、先ほど作成したプレハブをスクリプトで生成する処理などを追加します。

step 1 「PlayerController」を開く

1 PlayerControllerをダブルクリックする

step 2 スクリプトを記述する

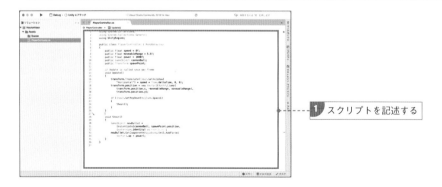

1 スクリプトを記述する

step 3　スクリプトを保存する

1 ファイルをクリックする

2 保存をクリックする

script PlayerController.cs　プレイヤーを操作する処理（発射処理を追加）

```
1    using System.Collections;
2    using System.Collections.Generic;
3    using UnityEngine;
4
5    public class PlayerController : MonoBehaviour
6    {
7        public float speed = 8f;
8        public float moveableRange = 5.5f;
9        public float power = 1000f;
10       public GameObject cannonBall;                                      ❶
11       public Transform spawnPoint;
12
13       // Update is called once per frame
14       void Update()
15       {
16           transform.Translate(Input.GetAxisRaw(
17               "Horizontal") * speed * Time.deltaTime, 0, 0);
18           transform.position = new Vector2(Mathf.Clamp(
19               transform.position.x, -moveableRange, moveableRange),
20               transform.position.y);
21
22           if (Input.GetKeyDown(KeyCode.Space))
23           {                                                              ❷
24               Shoot();
25           }
26       }
27
28       void Shoot()                                                       ❸
29       {
30           GameObject newBullet =
31               Instantiate(cannonBall, spawnPoint.position,              ❹
32               Quaternion.identity) as GameObject;
33           newBullet.GetComponent<Rigidbody2D>().AddForce(
34               Vector3.up * power);                                       ❺
35       }
36   }
```

Unity2021Sample/Script/Chapter4/Text/PlayerController_2.txt

💡 「砲弾を発射する」スクリプト

「PlayerController」に追加した部分を見てみましょう。

❶ 変数の宣言

"power" は砲弾の威力（飛ばす力）を設定するための変数です。初期値として「1000」を設定しています。威力の値は後から Inspector ウィンドウ上で変更することができます。

"cannonBall" は発射する砲弾のオブジェクトを設定する変数です。ここには先ほど作成した砲弾のプレハブをアタッチします。"spawnPoint" は砲弾の発射口を設定するための変数です。ここには発射口となるオブジェクトをアタッチします。オブジェクトの設定は Inspector ウィンドウから行います。

```
 9        public float power = 1000f;
10        public GameObject cannonBall;
11        public Transform spawnPoint;
```

❷ キー入力の取得と関数の呼び出し

"Input.GetKeyDown(KeyCode.Space)" を if 文の条件に設定することで、スペースキーが入力されたら関数を呼び出します。ここでは、砲弾を発射する Shoot 関数を呼び出しています。

```
22        if (Input.GetKeyDown(KeyCode.Space))
23        {
24            Shoot();
25        }
```

❸ 砲弾を発射する関数

Shoot 関数は砲弾の打ち出しを行います。

```
28        void Shoot()
```

❹ インスタンスの生成

cannonBall 変数に設定されたプレハブからインスタンス "newBullet" を生成します。生成する位置は spawnPoint 変数に設定されたオブジェクトの位置情報（Position）が指定されます。"Quaternion.identity" とすることで角度（Rotation）を「0,0,0」にしています。

```
30        GameObject newBullet =
31            Instantiate(cannonBall, spawnPoint.position,
32            Quaternion.identity) as GameObject;
```

❺ インスタンスを移動させる

"AddForce" はオブジェクトに対して物理的な力を加える関数です（指定した方向と強さでオブジェクトを押すイメージです）。インスタンス（newBullet）の Rigidbody 2D コンポーネントに対して AddForce 関数で物理的な力を加えることで、インスタンスを移動させています。

AddForce関数は飛ばしたい方向をベクトル(Vector3)で指定します。"Vector3.up" は "Vector3 (0,1,0)" と同じ意味であり、上向き(Y軸の正方向)を意味します。"power" は砲弾の威力の変数です。

```
33          newBullet.GetComponent<Rigidbody2D>().AddForce(
34              Vector3.up * power);
```

5　パラメータを設定する

　スクリプト内で「public」を付けて宣言した変数は、パラメータとしてInspectorウィンドウで設定可能になります。ここではプレハブと発射口のオブジェクトを指定するためのパラメータを用意しています。それぞれの設定を行いましょう。

　プレハブは先ほど作成した「CannonBallPrefab」を、発射口のオブジェクトはプレイヤーの作成の際に準備しておいた「SpawnPoint」を設定します(114ページを参照)。

> **step 1**　「CannonBallPrefab」をドラッグ＆ドロップする

1 Playerをクリックする

2 ProjectウィンドウのCannonBallPrefab
をInspectorウィンドウのCannon Ballに
ドラッグ＆ドロップする

step 2 「SpawnPoint」をドラッグ＆ドロップする

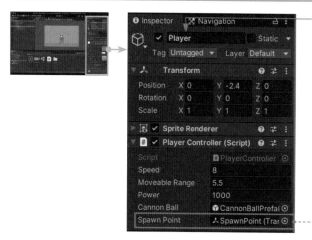

Hierarchyウィンドウで
「Player」を選択しておく

1 Hierarchyウィンドウの SpawnPoint
を Inspector ウィンドウの Spawn Point
にドラッグ＆ドロップする

　ゲームを実行してスペースキーを押すと、砲弾（CannonBall）が発射されるようになりました。砲塔の先から砲弾が発射されるように見えるように、発射口（SpawnPoint）の位置を調整しましょう。

fig ● 砲弾が発射された！

1 プレイをクリックする

ゲームの動作が確認できたら、再度プレイをクリックして実行を停止しておきましょう。

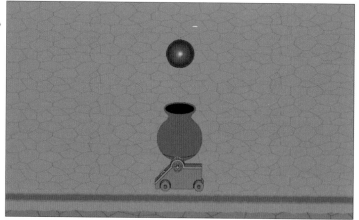

▷ 実行中にうっかり調整しないようにするコツ　　　　　Tips

　Gameビュー上でゲームを実行中にちょっと気になった点などを、その場で調整しながら動作確認することもできます。ゲーム実行中にSceneビューを表示してオブジェクトの位置などを移動すると、Gameビュー上の画面にしっかりと反映されます。

　ただし、ゲームの実行中にシーンを編集した内容は、ゲームを終了すると実行前の状態に巻き戻されてしまいます。せっかく行った作業を無駄にしないために、次のような方法を使ってみてください。

Unityには、ゲーム実行中にエディター画面の色を変える方法があります。例えば、次の図のように、プレイ中はGameビュー以外を赤くすることもできます。

fig ● 実行中は画面の色を変える

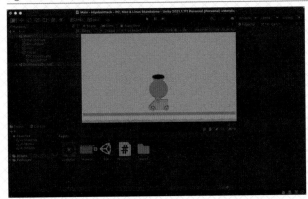

こうしておけば、実行中に、うっかりシーンを編集してしまうのを防ぐことができます。ビューの色の設定は、Unity→Preferencesメニュー（WindowsではEdit→Preferencesメニュー）を選択すると表示される「Preferences」画面で、Playmode tintの色を設定します。

fig ● 画面の色を設定する

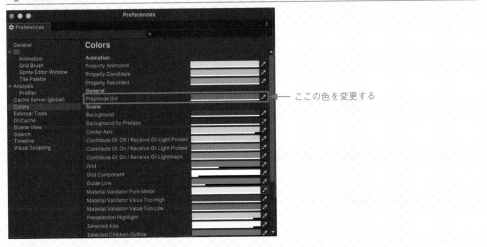

ここの色を変更する

6 時間経過で砲弾を消せるようにする

砲弾が発射できるようになりましたが、このままではいつまでも砲弾が床の上に残ってしまう状態になっています。**発射後ある程度時間が経ったら消去する**ようにします。

時間経過で消去するスクリプトを作りましょう。

step 1 「DestroyObj」スクリプトを作成する

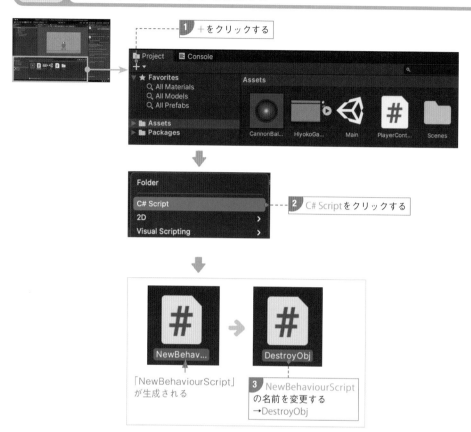

1 +をクリックする

2 C# Scriptをクリックする

「NewBehaviourScript」
が生成される

3 NewBehaviourScript
の名前を変更する
→DestroyObj

step 2 スクリプトを記述する

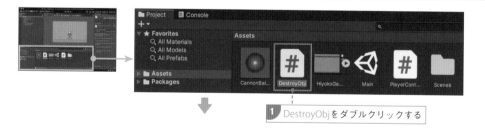

1 DestroyObjをダブルクリックする

2 スクリプトを記述する

3 ファイルをクリックする

4 保存をクリックする

Chapter 4

script DestroyObj.cs　時間経過で消去する処理

```
1    using System.Collections;
2    using System.Collections.Generic;
3    using UnityEngine;
4
5    public class DestroyObj : MonoBehaviour
6    {
7        public float deleteTime = 2.0f;                                    ❶
8
9        // Start is called before the first frame update
10       void Start()
11       {
12           Destroy(gameObject, deleteTime);                               ❷
13       }
14
15       // Update is called once per frame
16       void Update()
17       {
18
19       }
20   }
```

Unity2021Sample/Script/Chapter4/Text/DestroyObj.txt

> ### 「時間経過で消去する」スクリプト
>
> 「DestroyObj」スクリプトの中身を見てみましょう。
>
> **❶変数の制限**
>
> "deleteTime" は、消去するまでの時間を指定する変数です。初期値として 2 秒を設定しています。パラメータ化しているので、Inspector ウィンドウから変更可能です。
>
> ```
> 7          public float deleteTime = 2.0f;
> ```
>
> **❷オブジェクトの消去**
>
> Destroy は Unity に事前に用意されているオブジェクトを消去する関数です。ここではスクリプトが設定されたオブジェクトを deleteTime 変数に設定された時間の経過後に消去しています。
>
> ```
> 12         Destroy(gameObject, deleteTime);
> ```

7　スクリプトをプレハブにアタッチする

　「DestroyObj」スクリプトをオブジェクトにアタッチします。ここでは、スクリプトによって生成されたインスタンス全てに適用するために、元となるプレハブ「CannonBallPrefab」にドラッグ＆ドロップします。

step 1　スクリプトをプレハブにアタッチする

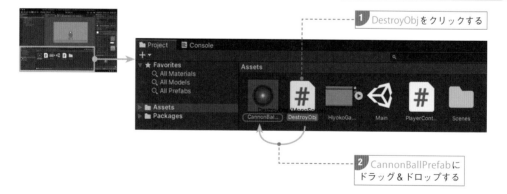

　これで、発射後に時間が経つと砲弾が削除されるようになりました。

▷ フォルダーで管理する

通常のゲーム開発では、スプライトやスクリプトなど、さまざまな種類のアセットを大量に使用します。Projectウィンドウに大量のアセットがあると管理しづらくなってしまいます。フォルダーで分割して管理しましょう。

Projectウィンドウ内を右クリックして、Create→Folderを選択します。そうすれば新しいフォルダーが作成されます。「Script」や「Prefab」など、オブジェクトの種類別に名前を付けて整理することで、プロジェクトの管理の効率性を高めることができます。

fig ● Projectウィンドウにフォルダーを追加する

フォルダーを追加して同じ種類
のアセットをまとめて管理する

StepUp

ここで作成したスクリプトは、そのまま他のゲームで使用することができます。Projectウィンドウにドラッグ＆ドロップしてプロジェクトに取り込みましょう。

4-07 ヒヨコ玉を作ろう！

転がり落ちてくる「ヒヨコ玉」を作成しましょう。プレハブとスクリプトを組み合わせて、一定間隔で生成され続けるようにします。

1 坂を配置する

ヒヨコ玉が転がり落ちる坂を配置します。坂は床のスプライト「HiyokoGameMaterials_0」を流用して作りましょう。

step 1 「HiyokoGameMaterials_0」を配置する

1 HiyokoGameMaterials_0を
クリックする

2 ProjectウィンドウのHiyokoGameMaterials_0を
Hierarchyウィンドウにドラッグ＆ドロップする

3 HiyokoGameMaterials_0の名前を変更する
→Slope

step 2 「Slope」の位置、角度、大きさを設定する

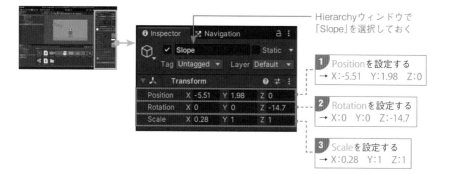

Hierarchyウィンドウで
「Slope」を選択しておく

1 Positionを設定する
→ X:-5.51　Y:1.98　Z:0

2 Rotationを設定する
→ X:0　Y:0　Z:-14.7

3 Scaleを設定する
→ X:0.28　Y:1　Z:1

step 3　「Order in Layer」を設定する

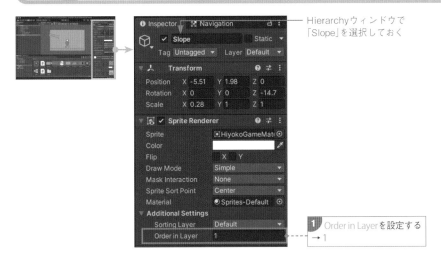

Hierarchyウィンドウで
「Slope」を選択しておく

1 Order in Layerを設定する
→ 1

step 4　「Box Collider 2D」を追加する

Hierarchyウィンドウで
「Slope」を選択しておく

1 Add Componentをクリックする

2 Physics 2Dをクリックする

3 Box Collider 2Dをクリックする

fig ● 坂が配置された！

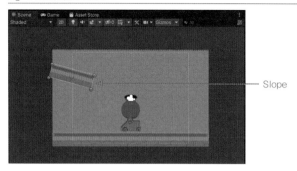

— Slope

2 ヒヨコ玉を作る

転がり落ちてくるヒヨコ玉を作成しましょう。ヒヨコ玉のスプライトは「HiyokoGame Materials_1」です。

step 1 「HiyokoGameMaterials_1」を配置する

1 HiyokoGameMaterials_1をクリックする

2 ProjectウィンドウのHiyokoGameMaterials_1をHierarchyウィンドウにドラッグ＆ドロップする

3 HiyokoGameMaterials_1の名前を変更する→HiyokoBall

step 2 「Order in Layer」を設定する

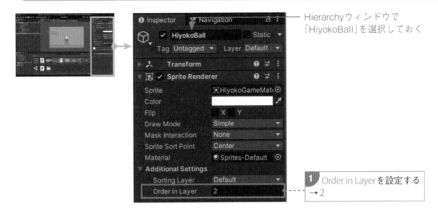

Hierarchyウィンドウで
「HiyokoBall」を選択しておく

1 Order in Layerを設定する
→ 2

step 3 「Rigidbody 2D」を追加する

Hierarchyウィンドウで
「HiyokoBall」を選択しておく

1 Add Componentをクリックする

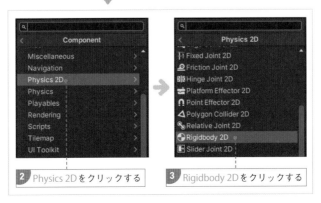

2 Physics 2Dをクリックする　**3** Rigidbody 2Dをクリックする

step 4 「Circle Collider 2D」を追加する

Hierarchyウィンドウで
「HiyokoBall」を選択しておく

1 Add Componentをクリックする

2 Physics 2Dをクリックする

3 Circle Collider 2Dを
クリックする

fig ● ヒヨコ玉が追加された！

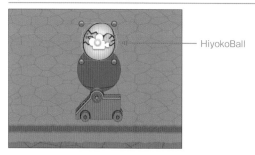

HiyokoBall

3　ヒヨコ玉をプレハブ化する

ヒヨコ玉をプレハブ化してスクリプトから呼び出せるようにしましょう。

step 1　プレハブを追加する

> 1 Hierarchyウィンドウの HiyokoBall を Project ウィンドウにドラッグ＆ドロップする

2 HiyokoBall の名前を変更する
→HiyokoBallPrefab

クリックで編集可能な状態にしてから名前を変更します。

step 2　「HiyokoBall」を削除する

1 HiyokoBall を右クリックする

2 Deleteをクリックする

4 ヒヨコ玉をスクリプトから生成できるようにする

ヒヨコ玉を生成するスクリプトを作成します。

step 1 「HiyokoGenerator」スクリプトを作成する

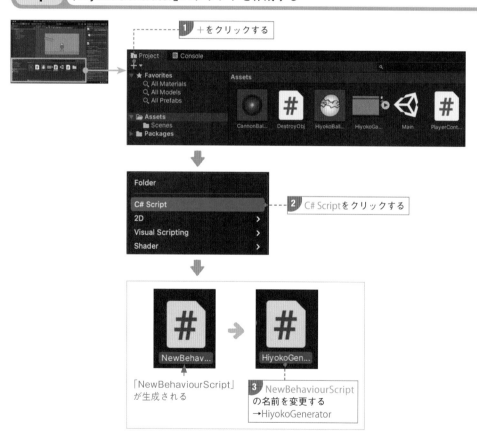

1 +をクリックする

Folder
C# Script
2D
Visual Scripting
Shader

2 C# Scriptをクリックする

NewBehav... → HiyokoGen...

「NewBehaviourScript」
が生成される

3 NewBehaviourScript
の名前を変更する
→HiyokoGenerator

step 2　スクリプトを記述する

1 HiyokoGeneratorをダブルクリックする

2 スクリプトを記述する

3 ファイルをクリックする

4 保存をクリックする

`script` HiyokoGenerator.cs　ヒヨコ玉を生成する処理

```
1    using System.Collections;
2    using System.Collections.Generic;
3    using UnityEngine;
4
5    public class HiyokoGenerator : MonoBehaviour
6    {
7        public GameObject obj;
8        public float interval = 3.0f;                            ❶
9
10       // Start is called before the first frame update
11       void Start()
12       {
13           InvokeRepeating("SpawnObj", 0.1f, interval);         ❷
14       }
15
16       // Update is called once per frame
17       void SpawnObj()
18       {
19           Instantiate(obj,transform.position,transform.rotation);  ❸
20       }
21   }
```

Unity2021Sample/Script/Chapter4/Text/HiyokoGenerator.txt

「ヒヨコ玉を生成する」スクリプト

「HiyokoGenerator」スクリプトの中身を見てみましょう。

❶変数の宣言

"obj"はヒヨコ玉のプレハブを設定する変数です。パラメータ化しているので、Inspectorウィンドウから設定できます。

"interval"は生成間隔を設定する変数です。初期値として「3秒」を設定しています。こちらもパラメータ化しているので、Inspectorウィンドウから変更可能です。

```
7        public GameObject obj;
8        public float interval = 3.0f;
```

❷一定間隔で生成する

InvokeRepeating関数を使うことで、一定間隔で関数を呼び出すことができます。ゲームを実行して0.1秒後にまず1回目、以後はintervalに設定されている間隔（初期値として3秒が設定されています）でSpawnObj関数を呼び出します。

```
13           InvokeRepeating("SpawnObj", 0.1f, interval);
```

❸ヒヨコ玉を生成する

"SpawnObj" がヒヨコ玉を生成する関数です。"obj" に設定されているプレハブのインスタンスを生成します。生成する位置は、スクリプトが設定されているオブジェクトの位置になります。

```
17      void SpawnObj()
18      {
19          Instantiate(obj,transform.position,transform.rotation);
20      }
```

5 生成ポイントを設定する

ヒヨコ玉を生成するスクリプトを設定するオブジェクトを用意しましょう。ここでは「空のオブジェクト」を追加し、「HiyokoGenerator」をアタッチします。こうすることで、「空のオブジェクト」の位置からヒヨコ玉が生成されるようになります。

step 1 「空のオブジェクト」を追加する

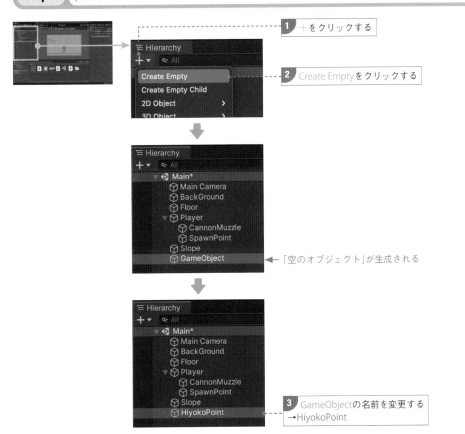

1 +をクリックする

2 Create Emptyをクリックする

←「空のオブジェクト」が生成される

3 GameObjectの名前を変更する
→HiyokoPoint

step 2　「HiyokoPoint」の位置を設定する

Hierarchyウィンドウで
「HiyokoPoint」を選択しておく

1 Positionを設定する
→ X:-5.6　Y:3.5　Z:0

step 3　「HiyokoPoint」に「HiyokoGenerator」をアタッチする

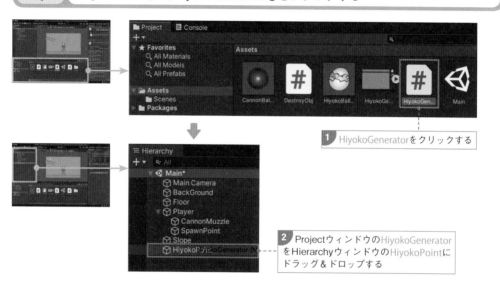

1 HiyokoGeneratorをクリックする

2 Projectウィンドウの HiyokoGenerator
を Hierarchyウィンドウの HiyokoPointに
ドラッグ＆ドロップする

fig ● 生成ポイントが作成された！

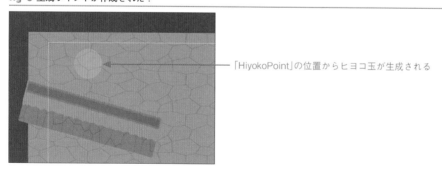

「HiyokoPoint」の位置からヒヨコ玉が生成される

6　パラメータを設定する

ヒヨコ玉のプレハブをパラメータに設定します。

step 1　「HiyokoBall」をドラッグ＆ドロップする

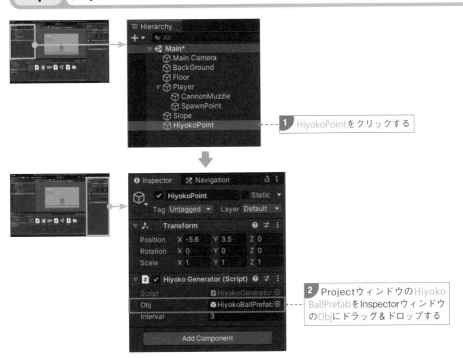

これで一定間隔でヒヨコ玉が生成されるようになりました。ゲームを実行して確認しましょう。

fig ◆ ヒヨコ玉が生成されるようになった！

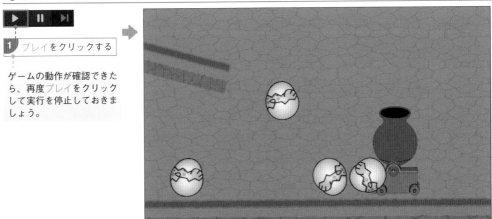

4-08 よりゲームらしく改良しよう！

最後に、ゲームを改良して仕上げをしましょう。

1 ヒヨコ玉が弾むようにする

ヒヨコ玉が床や砲弾とぶつかった時に大きく弾むように、反発係数を設定しましょう。オブジェクトが接触した時の摩擦や反発を設定するためには、「Physic Material」を利用するのでした（82ページを参照）。Unityには2Dゲーム用の「Physics Material 2D」が用意されています。これを使用することで、簡単にスーパーボールのように跳ねたり、逆に跳ねないようにすることも可能になります。

step 1 「Physics Material 2D」を作成する

1 ＋をクリックする

2 Physics Material 2Dをクリックする

「New Physics Material 2D」が生成される

3 New Physics Material 2Dの名前を変更する
→HiyokoPhysics

step 2　「HiyokoPhysics」を「HiyokoBallPrefab」に設定する

1 HiyokoBallPrefabを
クリックする

2 ProjectウィンドウのHiyokoPhysics
をInspectorウィンドウのMaterialに
ドラッグ＆ドロップする

step 3　摩擦と反発を設定する

1 HiyokoPhysicsをクリックする

2 Frictionを設定する
→ 0.1

3 Bouncinessを設定する
→ 1

スーパーボールように跳ねるようになりました。係数を設定して、跳ね具合を調整しましょう。

StepUp

FrictionやBouncinessを組み合わせることでオブジェクトの動作が大きく変わります。数値を調整してさまざまな跳ね方を追求してみましょう。

▷「Physics Material 2D」の設定　　　　　　　　　`Tips`

　Physics Material 2DにはFrictionとBouncinessという設定項目があります。Frictionが摩擦係数で「0」がまったく摩擦がかからない状態（氷の上を歩いているような状態）です。Bouncinessが反発係数で「0」が最も跳ねない状態です。

2　ヒヨコ玉を一定期間で消去する

　このままではゲームを実行中は無限にヒヨコ玉のインスタンスが増え続けます。砲弾と同じように、一定期間で消去するようにします。砲弾の消去のために作ったスクリプトをそのまま利用することができます。ヒヨコ玉のプレハブにスクリプトを設定しましょう。

---

step 1　「DestroyObj」を「HiyokoBallPrefab」に設定する

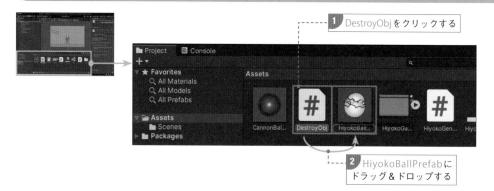

1 DestroyObjをクリックする

2 HiyokoBallPrefabにドラッグ＆ドロップする

---

step 2　「Delete Time」を設定する

1 HiyokoBallPrefabをクリックする

2 Delete Time を設定する
→ 10

▷ ゲームをビルドする　　Tips

　作成したゲームをビルドして、Unityエディターの外でも実行できるようにしましょう。ビルドは「Build Settings」から行います。

　File→Build Settingsメニューから Build Settingsを開き、Platformでプラットフォームを選択して Buildボタンをクリックします。

　プラットフォームは、PCをはじめ、iOSやAndroid、各種ゲーム機に対応しています。1つのゲームをさまざまなゲーム向けにビルドできることもUnityの強みです。

fig ● ゲームをビルドする

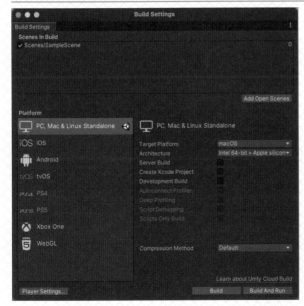

▷ Tilemapでステージを作成する

Tilemap（タイルマップ）は、ペイントツールで絵を描く感覚で、2Dのタイルを敷き詰めるようにシーン上に追加することができる機能です。これを使えば簡単に2Dステージなどを作ることができます。

Tilemapは、Hierarchyウィンドウで＋→2D Object→Tilemapをクリックすることで利用可能になります。

fig ◉ Tilemapで作ったステージ

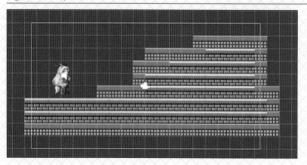

Hierarchyウィンドウに「Grid」と、その「子」オブジェクトとして「Tilemap」が追加されます。生成されたTilemap上にタイルを配置していきます。Tilemapは複数追加して、重ね合わせることも可能です。

fig ◉ 追加されたTilemap

次に、Unityメニューのwindow→2D→Tile Paletteをクリックして「Tile Palette」を開き、タイルとして使いたいスプライト素材をパレット上に追加します。

fig ◉ Tile Palette

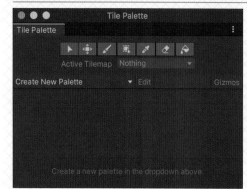

スプライト素材は、あらかじめプロジェクト内に取り込んでおきましょう。タイルとして使用できるスプライトは素材はAsset Storeにもたくさんありますのでぜひ覗いてみましょう。このTipsでは、「Free 8-Bit Pixcel Pack」というアセットを利用しています。Asset Storeの使い方はChapter6で詳しく解説するので（226ページ）、そちらを参照してください。

Title PaletteでCreate New Palette→Createをクリックしてパレットを作成し、取り込んだスプライト素材を登録します。

fig ◖ スプライトを登録する

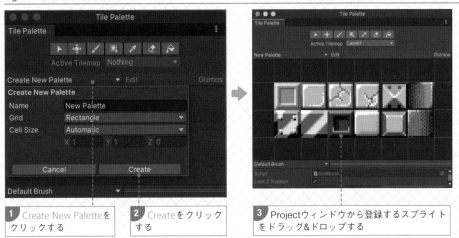

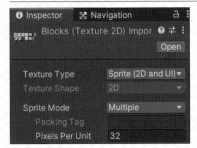 Create New Paletteをクリックする

2 Createをクリックする

3 Projectウィンドウから登録するスプライトをドラッグ&ドロップする

あとはパレット上にあるタイルを選択して、「Tilemap」上に配置するだけです。

なお、タイルに使用するスプライトのPixels Per Unitの値を、スプライトの大きさに合わせる必要があります。今回使用したスプライトのサイズは「32pixels x 32pixels」でしたので、Pixels Per Unitを「32」に変更する必要があります。デフォルトの「100」のままだとスプライトより各グリッドの方が大きくなってしまい、各スプライト（タイル）間に大きな隙間ができてしまうので注意しましょう。

Projectウィンドウで登録するスプライトを選択し、InspectorウィンドウでPixels Per Unitの値を変更します。

fig ◖ サイズを調整する

Tilemapには「Tilemap Collider 2D」という専用のコライダーがあり、このコライダーを「Tilemap」に追加すると、タイルの形が変化するに合わせて当たり判定の形を変化させることができます。

完成

これで2Dゲームは完成です。ここでは主に、スプライト、スクリプト、プレハブの使い方を学びました。スクリプトやプレハブの使い方は3Dも共通です。Unityでゲームを作る際には必須の機能なので、使い方をしっかりと覚えておきましょう。

これで完成！

Chapter 5

ゲームのUIを作ってみよう！

Chapter 5 で作るサンプル

　Chapter5ではゲームのUI（ユーザーインターフェイス）の作り方を学習しましょう。UnityのUIシステムを利用して、テキストやボタンを作ります。また、スタートボタンを用意して、タイトル画面からゲームのメイン画面に移動するサンプルを作っていきます。

　Chapter5では、主に以下の内容を学んでいきます。

- UIシステムの使い方
- UIオブジェクトの位置設定
- さまざまなUIオブジェクト
- 画像データの配置
- ボタンの配置
- シーン遷移の方法
- ボタンクリックで関数を実行する方法

Chapter 5 で作るサンプルの完成イメージ

📁 サンプルプロジェクト→ HiyokoUI
https://isbn2.sbcr.jp/10982/ よりダウンロード

5-01 UnityのUIシステム

　Unityには、画面上に表示するメッセージやボタンなどのUI（ユーザーインターフェイス）を作成するシステムが用意されています。UIシステムを利用すれば、スコアやタイムの表示、スタートボタンなどのゲームに必須なUIを手早く作成することができます。

　UnityのUIを使いこなすためには、まずはシステムを理解する必要があります。実際にUIを使ってみる前に、UIシステムについて学びましょう。

fig ● さまざまなUIを簡単に作ることができる

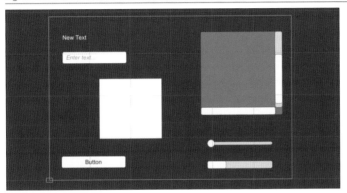

1 UIオブジェクトをシーンに配置する

　テキストやボタンなどのUI用の部品は、オブジェクトとしてHierarchyウィンドウに追加することで、シーン上に配置されます。

　UI用のオブジェクト（以下、UIオブジェクトと表記します）の追加は、Projectウィンドウの＋をクリックすると表示されるドロップダウンリストから、UIに続けて追加する部品名を選択します。以下の例は「Text」を追加しています。

fig ● UIオブジェクト（Text）を追加する

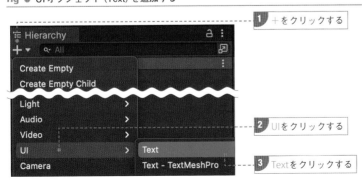

Hierarchyウィンドウには「Canvas」と「EventSystem」という2つのオブジェクトが追加されます。そして「Text」などのUIオブジェクトは「Canvas」の「子」オブジェクトとして配置されます。Canvasは複数追加することもできます。

fig ● UIオブジェクト「Text」が追加された！

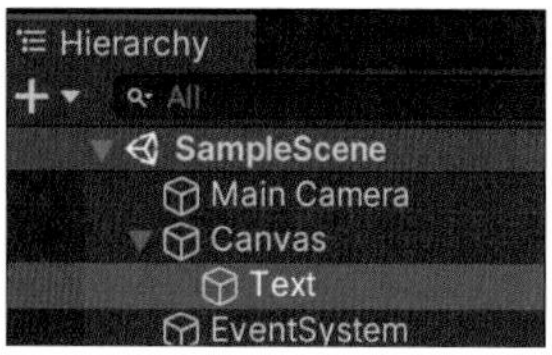

2 「Canvas」とUIオブジェクトの関係

Canvas（キャンバス）は**UIオブジェクトを配置するための領域**です。Canvasの大きさはゲーム画面（Gameビュー）に比例し、その中にUIオブジェクトを配置します。

また、UIシステムは2Dと3Dどちらのゲームの場合も同じものを利用します（コライダーやリジッドボディのように2D専用のものはありません）。UIオブジェクトはカメラやライトの影響を受けず、画面正面からの視点で表示されます（描画モードによってはカメラの影響を受ける場合があります）。

fig ● UIオブジェクトは「Canvas」の中に配置する

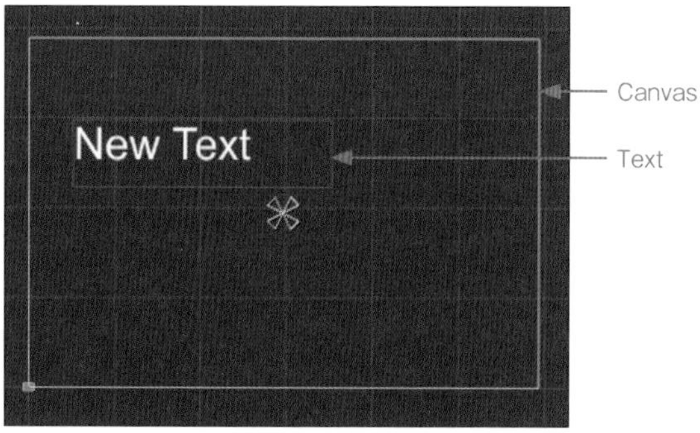

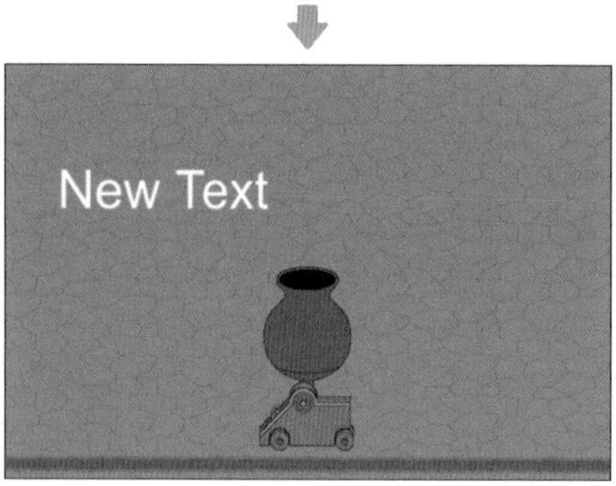

UIオブジェクトはHierarchyウィンドウ上で必ずCanvasの「子」オブジェクトにし、Canvasの範囲内に配置しないとシーン上に表示されません。 以下の例では、TextがCanvasの外に出てしまっています。この状態をGameビューで確認すると、Textが表示されていないのがわかります。

fig ● 「Canvas」の外に配置すると表示されない

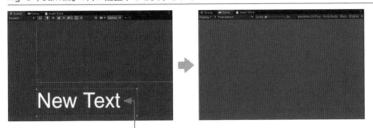

「Text」を「Canvas」の外に配置

以下の例のように、TextをCanvasの真ん中に配置すると、Gameビューの真ん中に表示されます。

fig ● Gameビューに表示された！

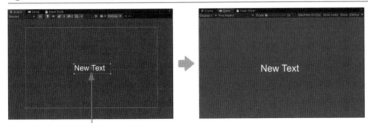

「Text」を「Canvas」の中に配置

▷ Canvasの大きさ

UIオブジェクトを配置する際に知っておきたいのは、Canvasの大きさについてです。CanvasはSceneビュー上では非常に大きく表示されます。SceneビューでCanvasを見ると、左下に小さくゲーム画面が表示されているのが確認できます。

fig ● Canvasの左下にゲーム画面が表示されている

└── 左下にゲーム画面が表示されている

また、HierarchyウィンドウでCanvasを選択し、Inspectorウィンドウを確認してみましょう。Width
とHeightがCanvasの縦横の長さを示しています。Gameビューの大きさを変更すると、これらの値が変
化することが確認できます（ゲームを実行すると変更が反映されます）。

fig ● Canvasの大きさを確認する

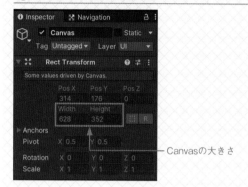

Canvasの大きさ

3 「Canvas」コンポーネントの「Render Mode」

「Canvas」オブジェクトの「Canvas」コンポーネントのRender Modeでは、Canvas内のUIオ
ブジェクトの描画モードの設定を行うことができます。「Screen Space - Overlay」「Screen
Space - Camera」「World Space」の3つのモードがあり、それぞれの違いを見ていきましょう。

Screen Space - Overlay

Render Modeを「Screen Space - Overlay」に設定すると、**必ず一番手前にUIが表示**されます。
デフォルトではこの状態になっています。

fig ● Screen Space - Overlay

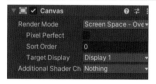

fig ● オブジェクトと重なった場合でも常にUIが前に描画される

「Screen Space - Overlay」の場合は、以下の項目が設定可能です。

table ● 「Screen Space - Overlay」の場合の設定項目

Pixel Perfect	UIがハッキリ映る状態にする
Sort Order	Canvasが複数ある場合、この値が大きい方を前面に描画する
Target Display	ゲーム内にカメラが複数ある場合、描画するカメラを切り替える（カメラ側でTarget Displayの設定が必要）
Additional Shader Channels	UIにシェーダーチャンネルを追加する

■ Screen Space - Camera

Render Modeを「Screen Space - Camera」に設定すると、**シーンを映すカメラの他にUIを映す専用のカメラを追加**でき、それぞれのカメラの描画順を調整することで、オブジェクトがUIより前に映るようにすることができます。

fig ● Screen Space - Camera

fig ● オブジェクトをUIの前に描画することができる

「Screen Space - Camera」の場合は、以下の項目が設定可能です。

table ● 「Screen Space - Camera」の場合の設定項目

Pixel Perfect	UIがハッキリ映る状態にする
Render Camera	UI用のカメラを設定する
Plane Distance	カメラとCanvasの距離
Sorting Layer	複数のCanvasがある場合にグループ分けを行う
Order in Layer	描画順を設定する（この値が大きいグループを前面に描画する）
Additional Shader Channels	UIにシェーダーチャンネルを追加する

▷ 「Screen Space - Camera」のカメラ設定

「Screen Space - Camera」モードでは、Render Cameraに設定したUI専用のカメラを通してUIが映し出されます。UI専用のカメラには、UIのみが映るようにLayerを設定する必要があります。
UIオブジェクトはデフォルトだと「UI」というLayerが設定されています。

fig ● オブジェクトをUIの前に描画することができる

UI専用カメラの「Camera」コンポーネントにあるCulling Maskを「UI」に設定してください。そうすることで、Layerに「UI」が設定されたオブジェクトのみを映し出すようになります。さらに、Clear Flagsを「Depth only」に設定したうえで、Depthの値を調整します。「Depth」の値が大きいカメラを、より前面に映し出します。

fig ● カメラの描画順を設定する

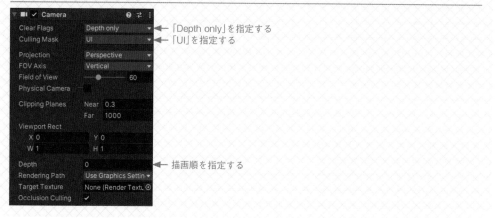

⬛ World Space

Render Modeを「World Space」に設定すると、Canvasの位置や大きさを自由に設定することが可能になります。位置や大きさの設定は、Rect Transformコンポーネントで行います。

このモードを使えば、例えばキャラクターの頭上に名前や体力ゲージを表示するなど、より柔軟にUIオブジェクトを配置できるようになります。

fig ● World Space

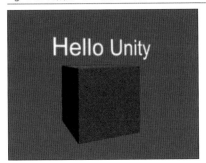

「World Space」の場合は、以下の項目が設定可能です。

Event Camera	ボタンをマウスでクリックするなど、UIに何らかの反応を起こす際に使用するカメラの設定
Sorting Layer	複数のCanvasがある場合にグループ分けを行う
Order in Layer	描画順を設定する (この値が大きいグループを前面に描画する)
Additional Shader Channels	UIにシェーダーチャンネルを追加する

4 「Canvas Scaler」コンポーネントの「UI Scale Mode」

　「Canvas Scaler」は、Canvasに追加されるUIオブジェクトのサイズ調整を行うコンポーネントです。

　ゲームが表示されるディスプレイはさまざまです。そのため、実行先のデバイスによってはUIの要素が画面内に全て納まっていなかったり、明らかにおかしい位置に表示されたりすることがあります。UI Scale Modeから、実行環境に合わせてUIオブジェクトの大きさを調整する方法を選択することができます。

🐾 Constant Pixel Size

　UI Scale Modeを「Constant Pixel Size」に設定すると、UIオブジェクトの大きさは、ピクセル指定になります(デフォルトの設定です)。デバイス側の解像度やアスペクト比に影響されません。 そのため、同じUIオブジェクトでも、解像度の高い端末では小さく、逆に解像度の低い端末だと大きく映ります。

fig ● Constant Pixel Size

「Constant Pixel Size」の場合は、以下の項目が設定可能です。

table ● 「Constant Pixel Size」の場合の設定項目

Scale Factor	キャンバスを拡大・縮小する場合の割合
Reference Pixels Per Unit	Scale「1」を何ピクセルで表すかを設定する

Scale With Screen Size

UI Scale Modeを「Scale With Screen Size」に設定すると、**スクリーンサイズを基準に自動**で**UIオブジェクトの拡大・縮小の調整**を行います。

fig ● Scale With Screen Size

「Scale With Screen Size」の場合は、以下の項目が設定可能です。

table ● 「Scale With Screen Size」の場合の設定項目

Reference Resolution	UIが表示されるディスプレイの想定解像度。実際の表示ディスプレイの解像度がこの想定解像度より高い場合はUIは大きくなり、低い場合はUIは小さくなる
Screen Match Mode	アスペクト比が Reference Resolution と合わない場合の調整設定
Match	Reference Resolution とアスペクト比が合わない場合、Reference Resolution のアスペクト比に、Width は横幅、Height は高さどちらを優先して調整するかを決める
Reference Pixels Per Unit	1ユニットをいくつのピクセル数で表示するか

Constant Physical Size

UI Scale Modeを「Constant Physical Size」に設定すると、**インチやミリメートルなど実際の**物理的な**サイズを基準でUIオブジェクトの大きさを調整**します。

fig ● Constant Physical Size

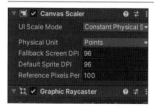

「Constant Physical Size」の場合は、以下の項目が設定可能です。

table ● 「Constant Physical Size」の場合の設定項目

Physical Unit	センチメートル、ミリメートル、インチなど物理的な大きさの単位
Fallback Screen DPI	DPI（Dots Per Inch：ドット密度）の推測が必要な場合のこの値を適用
Default Sprite DPI	スプライトの1インチあたりのピクセル数
Reference Pixels Per Unit	1ユニットをいくつのピクセル数で表示するか。Default Sprite DPIの設定に使用

▷ UIオブジェクトの描画順

　同一Canvas内に複数のUIオブジェクトがある場合は、Hierarchyウィンドウで「下」にあるものが前面に描画されます。

　例えば、Canvasに「Button」と「Text」があるとします。この場合、Hierarchyビューで「Button」の下に「Text」があれば、「Text」が前に描画され、「Button」は「Text」の後ろに描画されます。

fig ● UIオブジェクトの描画順

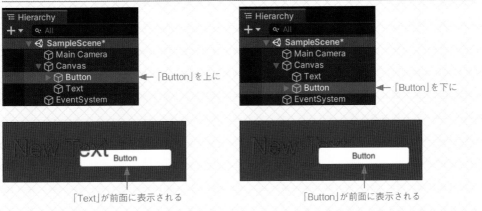

5 「Rect Transform」コンポーネント

　プリミティブ素材やカメラといった種類を問わず、オブジェクトは位置などの情報を管理するための「Transform」コンポーネントを持っています。UIオブジェクトは、他のオブジェクトのTransformとは異なる、「Rect Transform」という専用のコンポーネントで、位置や角度、大きさの情報が管理されます。

Rect Transformコンポーネントには、以下のような設定項目があります。

table ● Rect Transform の設定項目

Pos X Pos Y Pos Z	UIオブジェクトの位置（Canvasからの相対的な位置）
Width	UIオブジェクトの横の大きさ
Height	UIオブジェクトの縦の大きさ
Anchors (Min Max)	UIオブジェクトを配置する際の基準点（0から1の範囲で設定）
Pivot	UIオブジェクトの位置や大きさの基準点。操作ツールで「Rect」ツール（56ページを参照）を選択すると表示される
Rotation	UIオブジェクトの角度
Scale	UIオブジェクト自体の大きさ

▷ 「Scale」と「Width」「Height」

　Rect Transformコンポーネントには、UIオブジェクトの大きさを管理するための「Scale」と「Width」「Height」が用意されています。それではUIオブジェクトの大きさを変えるには、「Scale」と「Width」「Height」のどちらの値を変更すればよいのでしょうか？

　ScaleはWidth・Heightで設定された大きさに対する比率で設定されます。そのため、「Width」「Height」の値を通してUIオブジェクトの大きさを調整する方がよいでしょう。Unityとしても「Width」「Height」を通してUIの値を調整することを推奨しています。

6 「Anchor」による位置の指定

　UIオブジェクトには、Anchor（アンカー）と呼ばれるCanvas上で位置を固定してくれる機能が備わっています。Anchorとは船の錨（イカリ）の意味であり、実行先のデバイス側のアスペクト比や解像度が変わると、このAnchorを基準にしてUIオブジェクトの位置が調整されます。Anchorを適切な位置に設定することで、ゲーム実行時に画面サイズが変わってもUIオブジェクトが画面からはみ出さないようにできます。

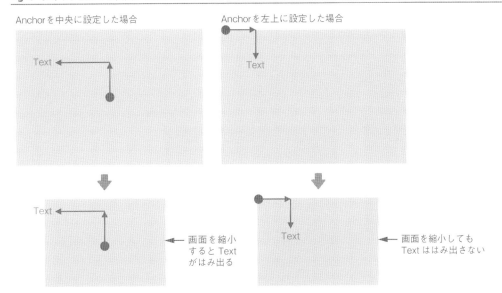

▪ AnchorとPivot

UIオブジェクトの位置は、**Anchor**と**Pivot**の座標で決まります。UIオブジェクトはCanvas内に配置する必要があるので、Anchorは必ずCanvasの内側になります。

Pivot（ピボット）はUIオブジェクトを配置する際の基準となる点です。通常はUIオブジェクトの中央に設定されています。なお、「Rectツール」を選択すると（56ページを参照）、Sceneビュー上にPivot（青い丸で示されます）を表示することができます。Pivotの位置はマウスドラッグによって変更することができます。あるいは、InspectorウィンドウでRect Transformコンポーネントの Pivot の値を変更します。

fig ● Anchor と Pivot

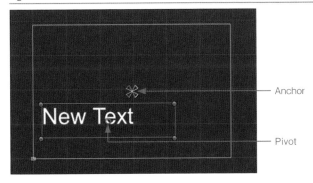

🔖 Anchorの位置

Anchorの位置は、Rect TransformコンポーネントのAnchor Presetsから設定することができます。デフォルトでは中央に設定されていて、左上から右下まで、任意の位置を選択可能です。

また、Sceneビュー上でのマウスドラッグ、あるいはInspectorウィンドウでAnchorsのMinとMaxの値によって細かく設定することもできます。

fig ● Anchorの位置を設定する

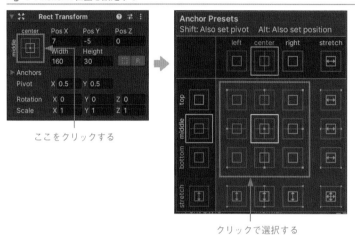

fig ● Anchorは分割できる

🔖 Anchorの分割

Anchorは上下左右に分割して配置することができます。これをStretchモードと呼びます。分割はAnchor Presetsから選択するか、マウスドラッグで行います（Inspectorウィンドウから行うこともできます）。

fig ● Anchorは分割できる

Strechモードは、UIオブジェクトを2つ以上のポイントで止めて、解像度やアスペクト比に合わせて自動で引っ張ってくれるモードのことです。ただし、ここで注意したいのは、Strechモードは単純に引き伸ばすだけなので、UIの表示が粗くなってしまう可能性もあります。

▷ UIオブジェクトの階層

　　UIオブジェクトは全てCanvasの「子」オブジェクトになります。また、「Button」のように自らが「子」を持つUIオブジェクトもあります。以下の例はHierarchyウィンドウにButtonを追加したところです。
　　Buttonは「子」オブジェクトとして「Text」を持っています。この場合、Textに対してはButtonがCanvasの役割をします。

fig ● 「Button」と「Text」の関係

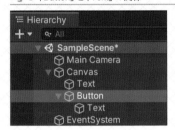

7　EventSystem

　　「EventSystem」はボタンが押された場合など、**UIに関するイベント（インプット）を管理**しているオブジェクトになります。UIに関連したスクリプトを動かす際に必要となります。
　　そのため、間違えて削除してしまうと、ボタンをクリックしても反応しないなどの問題が発生する可能性があるので、削除しないようにしましょう。

fig ● 「EventSystem」は削除しない！

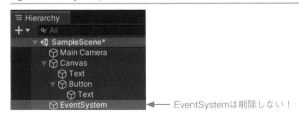

EventSystemは削除しない！

5-02 主なUIオブジェクト

　　UnityのUIシステムには、テキストやボタンなどの使用頻度の高いUIオブジェクトがあらかじめ用意されています。ここでは、代表的なUIオブジェクトを紹介します。

1 Text

　　Textは、ゲーム上のスコア表示などに使うことができるUIオブジェクトになります。

fig ● 「Text」オブジェクト

　　Textには「Text」コンポーネントが付いており、Textに表示したい文字列を打ち込むことでシーン上に表示することができます。また、Fontでフォントの種類、Font Sizeで文字の大きさ、Colorで文字の色を指定することができます。

　　Alignmentは上下左右の「合わせ」を選択できます。いろいろなコンポーネントで使うことが多い設定なので、覚えておきましょう。

fig ● 「Text」コンポーネント

Textの大きさは、Rect Transformコンポーネントの Width と Height で設定します。「Width」「Height」よりも中の文字（Textコンポーネントの「Font Size」の値）を大きくしてしまうと、文字は表示されずに消えてしまうので、注意しましょう。

fig ◗ 文字の表示範囲に注意する

文字の表示範囲

▷ TextMesh Pro

「TextMesh Pro」は、デフォルトのTextに比べて拡大しても綺麗にテキストが表示され、またデフォルトのTextでは再現できない、文字にライトを当てて光らせる表現が可能なオブジェクトです。もともとはアセットとして公開されていましたが、現在ではTextと同様にUIメニューから利用することが可能になっています。TextMesh Proを利用するためにはパッケージのインポートが必要になります。UIメニューからTextMesh Proを選択するとインポートを行うダイアログが表示されるので、そこからインポートを行ってください。

fig ◗ TextMesh Pro を選択する

デフォルトのTextが若干ぼやけていますが、TextMesh ProのTextはハッキリ映っています。

fig ◗ 「Text」と「TextMesh Pro」の違い

TextMesh Pro

通常のText

179

以下の例では、文字に赤いライトに照らしています。

fig ● 文字にライトを設定できる

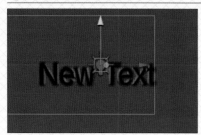

2　Image

「Image」は、**画像データ（スプライト）を表示**して、UIとして使用することができます。同様の用途の「Row Image」も用意されています（こちらはテクスチャ画像を表示します）。

fig ● 「Image」オブジェクト

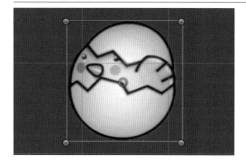

Imageオブジェクトは、Rect Transformの他に「Image」コンポーネントを持っています。Source Imageに表示したいスプライトをドラッグ＆ドロップで設定するとシーン上に表示されます。

fig ● 「Image」コンポーネント

Sceneビュー上に表示されたImageの上下左右にある青い部分をドラッグすると、表示範囲を拡大・縮小することができます（Rect TransformコンポーネントのWidthとHeightでも設定可能です）。

fig ● 「Image」の表示範囲を変更する

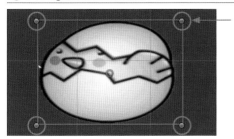

―――― ドラッグで表示範囲を変更できる

▷ 表示したい画像データの設定

「Image」オブジェクトで表示したい画像のTexture Typeは「Sprite(2D and UI)」にしておく必要があります。もし、画像のSource Imageにドラッグ＆ドロップで設定しようとしてもうまくできない場合は、画像が「Sprite(2D and UI)」になっているかを確認しましょう。

fig ● 「Texture Type」を確認する

―◀ ここを確認する

3 Button

「Button」は、**クリックすることで設定した関数を呼び出す**ことができます。ゲームのスタートボタンなど、さまざまな場面で使用します。

fig ● 「Button」オブジェクト

「Button」は「子」オブジェクトとして「Text」を持っています。Textオブジェクトの「Text」コンポーネントで表示する文字を設定することができます。

デフォルトでは四角のボタンが表示されますが、画像データを用意してオリジナルの形のボタンを作成することもできます。その場合は「Image」コンポーネントのSource Imageに画像データをドラッグ&ドロップします。

「Button」コンポーネントのNormal Colorなどの値を設定することで、ボタンの上にマウスポインタがきた時に色を変えることができるようになります。

Transitionを「Sprite Swap」にすることで、操作状況に応じてボタンの画像を変更することも可能です。

fig ● 「Button」オブジェクトのコンポーネント

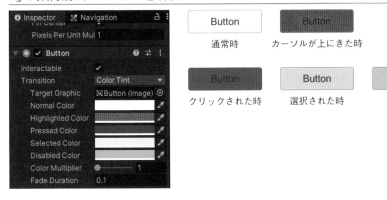

その他にも、ボタンにスクリプトを設定するOn Clickもあります。ボタンにスクリプトを設定する方法は、この後で実際に作業を行いながら解説していきます。

4 その他のUIオブジェクト

ここで紹介したもの以外にも、ゲームのUIに使えるさまざまなオブジェクトが用意されています。Hierarchyウィンドウの＋→UIから追加できるUIオブジェクトを以下にまとめておきます。

table ● 追加可能なUIオブジェクト

Text	文字を表示する
Text-TextMeshPro	文字を表示する (TextMesh Pro)
Image	画像 (スプライト) を表示する
Raw Image	画像 (テクスチャ) を表示する
Button	ボタンを表示する
Button-TextMeshPro	ボタンを表示する (TextMesh Pro)
Toggle	選択項目をチェックするかどうかを指定するトグルボタン
Slider	値を指定するためのスライダー
Scrollbar	値の選択や進行状況を表示するスクロールバー
Dropdown	クリックで選択項目のリストを表示する
Dropdown-TextMeshPro	クリックで選択項目のリストを表示する (TextMesh Pro)
Input Field	テキストの入力欄
Input Field-TextMeshPro	テキストの入力欄 (TextMesh Pro)
Canvas	UIオブジェクトを配置する「親」オブジェクト
Panel	ゲーム画面全体に画像などを表示する際に使用
Scroll View	表示範囲を指定可能な領域
Event System	イベントの管理 (スクリプトの実行に必要)

5-03 ボタンクリックの処理を作ろう！

実際にUIシステムを使ってみましょう。ここでは、ゲーム画面上にボタン（Button）を配置して、ボタンをクリックするとスクリプトの処理が実行されるようにしていきます。

1 プロジェクトをエクスポートする

ここでは、前章で作成したサンプルにボタンを追加していきます。そのために、この章で作成するサンプル（HiyokoUI）に、前章のサンプル（HiyokoAttack）をインポート（取り込み）するところから作業を行います。

まずはUnity Hubを起動して「HiyokoAttack」を開き、他のプロジェクトからインポートできるようにパッケージ化しましょう。

fig ● ゲーム画面にボタンを配置する

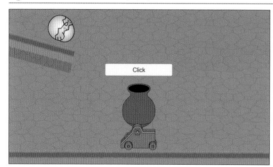

step 1 「HiyokoAttack」プロジェクトを開く

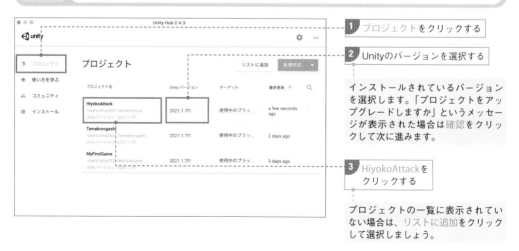

1 プロジェクトをクリックする

2 Unityのバージョンを選択する

インストールされているバージョンを選択します。「プロジェクトをアップグレードしますか」というメッセージが表示された場合は確認をクリックして次に進みます。

3 HiyokoAttackをクリックする

プロジェクトの一覧に表示されていない場合は、リストに追加をクリックして選択しましょう。

step 2　プロジェクトをエクスポートする

1　Assetsをクリックする

2　Export Packageを
クリックする

3　Exportをクリックする

4　パッケージ名を入力する
→HiyokoAttack

5　保存先を指定する（任意）

6　Saveをクリックする

　指定したフォルダー（ここではプロジェクトフォルダー）に「HiyokoAttack.unitypackage」と
いうファイルが作成されます。このパッケージを新しいプロジェクトに取り込みます。

2　プロジェクトをインポートする

　新しいプロジェクトを作成して、パッケージをインポートします。なお、ここでは「2D」の
プロジェクトを取り込むので、作成するプロジェクトも「2D」のものにしてください。

step 1 プロジェクトを作成する

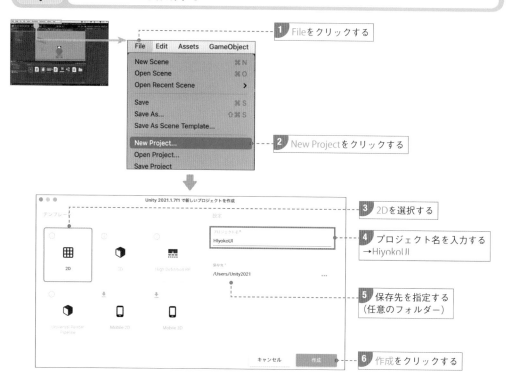

1 Fileをクリックする

2 New Projectをクリックする

3 2Dを選択する

4 プロジェクト名を入力する
→HiyokoUI

5 保存先を指定する
（任意のフォルダー）

6 作成をクリックする

step 2 プロジェクトをインポートする

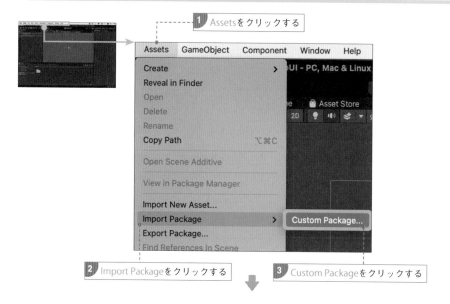

1 Assetsをクリックする

2 Import Packageをクリックする

3 Custom Packageをクリックする

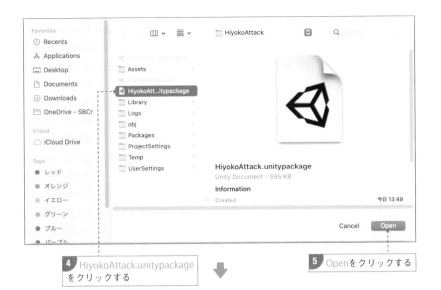

4 HiyokoAttack.unitypackage
をクリックする

5 Openをクリックする

6 Importをクリックする

fig ● プロジェクトの準備ができた！

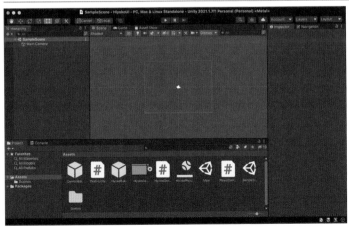

187

Chapter 5　ゲームのUIを作ってみよう！

3 シーンを開く

新規プロジェクトを作成し、Projectウィンドウにパッケージを取り込むことができました。パッケージには、ゲームに使用するアセットが収録されています。

ただ、現状ではどのシーンを編集するかが選択されていない状態です。「Main」シーンを開いて編集可能にしましょう。

---

step 1 シーンを開く

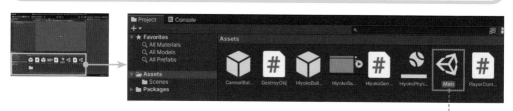

1 Mainをダブルクリックする

fig ● 「Main」シーンが開かれた！

---

4 ボタンを配置する

ゲーム画面上に**ボタンを配置**します。ボタンの追加は、Hierarchyウィンドウで＋をクリックすると表示されるドロップダウンリストから、UI→Buttonを選択します。

step 1 「Button」を追加する

1 +をクリックする

2 UIをクリックする

3 Buttonをクリックする

Canvasの「子」オブジェクトとして「Button」が生成される

名前の変更は、 オブジェクトを右クリックしてRenameから行います。 名前の変更は必須ではありませんが、 可能なかぎりわかりやすい名前に変更するようにしましょう。

4 Buttonの名前を変更する
→EventButton

ボタンが追加された

Hierarchyウィンドウで追加したオブジェクトをダブルクリックすると、そのオブジェクトがSceneビュー中央に表示されます。

1 EventButtonをクリックする

2 Posを設定する
→ X:0 Y:45 Z:0

Anchorは中央に設定しています
（デフォルトのまま）。

ボタンの位置が
変更された

5 ボタンのテキストを変更する

ボタンに表示されるテキストを変更します。「Button」を追加すると、「子」オブジェクトとして「Text」も追加されます。ボタンのテキストの設定はTextオブジェクトで行います。

step 1 「Text」を選択する

1 EventButtonの▶部分を
クリックする

2 Textをクリックする

step 2 「Text」に表示する文字列を設定する

1 Textを設定する
→Click

　これでボタンの準備ができました。ゲームを実行して、ゲーム画面上でどのように表示されるか確認しておきましょう。

fig ● ボタンが準備できた！

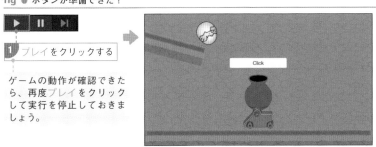

1 プレイをクリックする

ゲームの動作が確認できた
ら、再度プレイをクリック
して実行を停止しておきま
しょう。

191

6 スクリプトを作る

ボタンクリックで実行されるスクリプトを作成しましょう。ここでは、クリックされると Consoleウィンドウにメッセージを表示するシンプルなスクリプトを作ります。

step 1 スクリプトを追加する

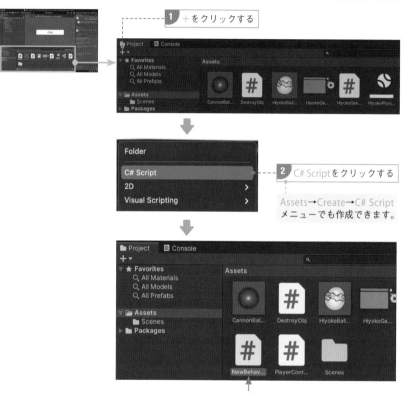

1 +をクリックする

2 C# Scriptをクリックする

Assets→Create→C# Script
メニューでも作成できます。

スクリプトが追加される

step 2 スクリプトの名前を変更する

1 名前部分をクリックする

2 名前を入力する
→ButtonTest

---

step 3 スクリプトを開く

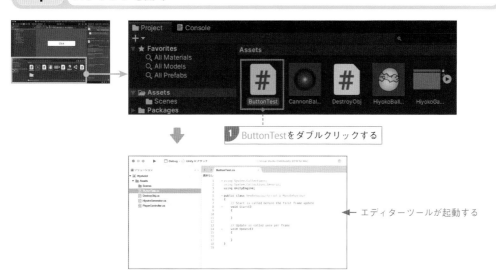

1 ButtonTestをダブルクリックする

← エディターツールが起動する

---

step 4 スクリプトを記述する

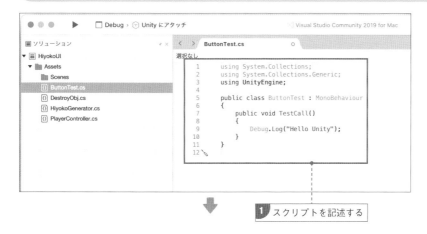

```
1   using System.Collections;
2   using System.Collections.Generic;
3   using UnityEngine;
4
5   public class ButtonTest : MonoBehaviour
6   {
7       public void TestCall()
8       {
9           Debug.Log("Hello Unity");
10      }
11  }
12
```

1 スクリプトを記述する

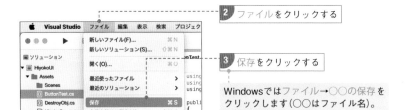

② ファイルをクリックする

③ 保存をクリックする

Windowsでは**ファイル→○○の保存**を
クリックします（○○はファイル名）。

---

script ButtonTest.cs Consoleに「Hello Unity」と表示する

```
1    using System.Collections;
2    using System.Collections.Generic;
3    using UnityEngine;
4
5    public class ButtonTest : MonoBehaviour
6    {
7        public void TestCall()              ①
8        {
9            Debug.Log("Hello Unity");       ②
10       }
11   }
```
Unity2021Sample/Script/Chapter5/Text/ButtonTest.txt

⚡ ボタンから呼び出す処理

このスクリプトは、次のような処理を行っています。

①関数の宣言
ボタンクリックなどのイベントから関数を呼び出すには、アクセス修飾子を "**public**" にしておく
必要があります。

```
7        public void TestCall()
```

②メッセージの表示
Console ウィンドウに「Hello Unity」というメッセージを表示します。

```
9            Debug.Log("Hello Unity");
```

---

7 スクリプトをボタンにアタッチする

ボタンクリックでスクリプトを実行できるようにするには、**作成したスクリプトをボタンに
アタッチ**（設定）する必要があります。ProjectウィンドウのButtonTestを Inspectorウィンドウ
のEventButtonにドラッグ＆ドロップします。

194

step 1　スクリプトをボタンにアタッチする

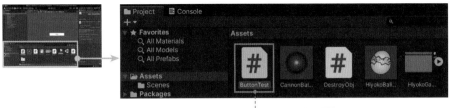

1 ButtonTestをクリックする

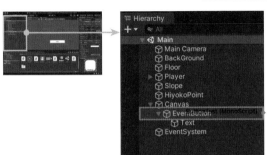

2 ProjectウィンドウのButtonTestを
HierarchyウィンドウのEventButtonへ
ドラッグ＆ドロップする

8　ボタンクリックに処理を割り当てる

　ボタンに設定したスクリプトを、ボタンクリックで実行できるようにしましょう。

　UIオブジェクトには、クリックなどのUIに対する代表的なイベントがあらかじめ用意されています（用意されるイベントはオブジェクトの種類によって異なります）。ここでは**On Clickイベント（ボタンがクリックされた時のイベント）に対して、クリックした際にスクリプト内の関数を呼び出して実行するように設定していきます。**

step 1　ボタンとイベントを関連付ける

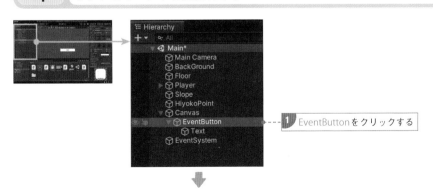

1 EventButtonをクリックする

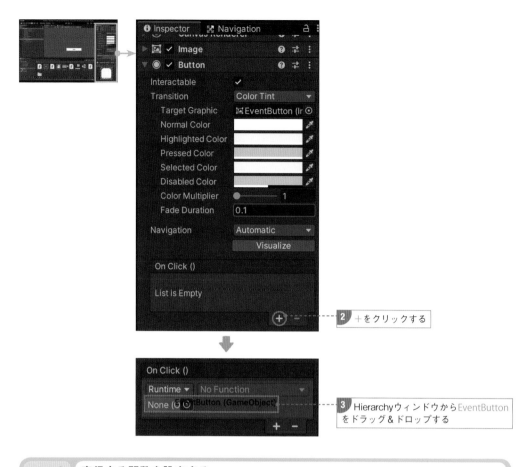

2 ＋をクリックする

3 HierarchyウィンドウからEventButton
をドラッグ＆ドロップする

step 2 実行する関数を設定する

Hierarchyウィンドウで
「EventButton」を選択しておく

1 No Functionをクリックする

「ButtonTest」はボタンに設定
したスクリプトの名前です。

2 ButtonTestをクリックする

「TestCall」は「ButtonTest」ス
クリプト内に記述した関数
の名前です。

3 TestCall ()をクリックする

On Clickイベントに実行する
関数が設定される

これで設定は完了です。ゲームを実行してボタンをクリックしてみましょう。Consoleウィ
ンドウにメッセージが表示されているのが確認できるはずです。

確認できたらゲームの実行を停止して、ボタンは消しておきましょう。

fig ● ゲームを実行して確認する

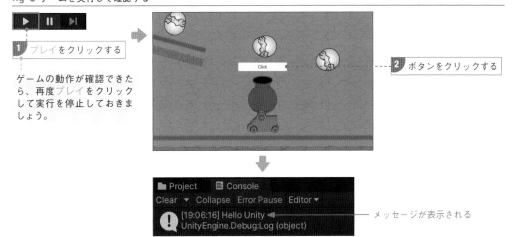

1 プレイをクリックする

ゲームの動作が確認できた
ら、再度プレイをクリック
して実行を停止しておきま
しょう。

2 ボタンをクリックする

メッセージが表示される

▶ ボタンをプレハブ化する

UIオブジェクトは、他のオブジェクトと同様にプレハブ（Prefab）化して複製することができます。
　先ほど作成した「EventButton」をHierarchyウィンドウからProjectウィンドウにドラッグ＆ドロップすることでプレハブ化されます。そして、ProjectウィンドウからHierarchyウィンドウにプレハブをドラッグ＆ドロップすれば、インスタンスが作成されます（131ページを参照）。

5-04　タイトル画面を作ろう！

　　　　UIシステムの学習のまとめとして、タイトル画面を作成し、「スタート」ボタンでゲーム画面に移動する処理を作ってみましょう。ポイントは別のシーンに移動する「シーン遷移」のテクニックです。

1　プロジェクトとシーンを用意する

　　　先ほどまでのプロジェクトに処理を追加していくことにしましょう。プロジェクトにタイトル画面用の画像データを読み込み、タイトル画面のシーンを追加します。
　　　タイトル画面用の画像データは、本書のサポートページからダウンロードできます（「Unity 2021Sample/Sozai/Chapter5」フォルダーに収録されています）。

url　サポートページ
https://isbn2.sbcr.jp/10982/

fig ● タイトル画面用の画像

Unity2021Sample/Sozai/Chapter5/HiyokoTobashi.png

step 1 画像データを読み込む

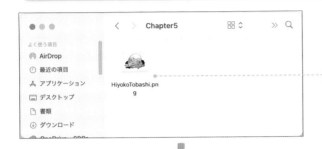

サポートページからダウンロードして、任意の場所に保存しておきます。

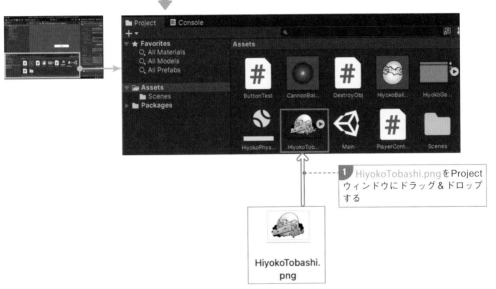

1 HiyokoTobashi.pngをProject ウィンドウにドラッグ＆ドロップ する

HiyokoTobashi. png

step 2 シーンを追加する

1 Fileをクリックする

2 New Sceneをクリックする

3 Basic 2Dを選択する

4 Createをクリックする

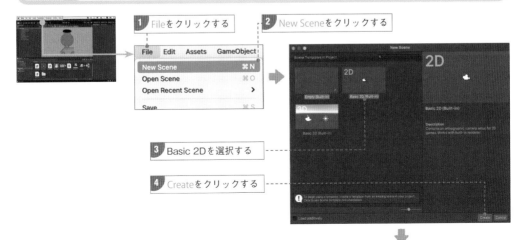

199

編集中のシーンが保存されていない場合はこの画面が表示されます。Saveをクリックして保存してください。 この画面はMac版のUIになります。Windows版で表示が異なります。

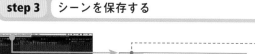

1 Fileをクリックする

2 Save Asをクリックする

3 シーン名を入力する
→Title

4 保存先を指定する
→Assets

5 Saveをクリックする

「Title」シーンが追加され、編集中のシーンも「Title」に切り替わりました。なお、編集するシーンを切り替えるには、Projectウィンドウで切り替え先のシーンのアイコンをダブルクリックします(移動の際にシーンの保存が求められます)。

fig ● 「Title」シーンが追加された!

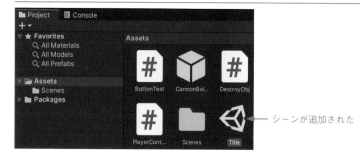

シーンが追加された

2 タイトル画面を作る

タイトル画面は、**シーン全体を「Image」で覆って画像を表示**します。Imageはスプライト素材を表示するUIオブジェクトです。2Dゲーム用のプロジェクトでは自動的にスプライトに変換してくれるので、読み込んだ画像データをそのまま使用することができます。

step 1 「Image」を追加する

1 ＋をクリックする

2 UIをクリックする

3 Imageをクリックする

Canvasの「子」オブジェクトとして「Image」が生成される

名前の変更は、オブジェクトを右クリックしてRenameから行います。

4 Imageの名前を変更する
→TitleLogo

TitleLogo

Hierarchyウィンドウで追加したオブジェクトをダブルクリックすると、そのオブジェクトがSceneビュー中央に表示されます。

step 2　「TitleLogo」を配置する

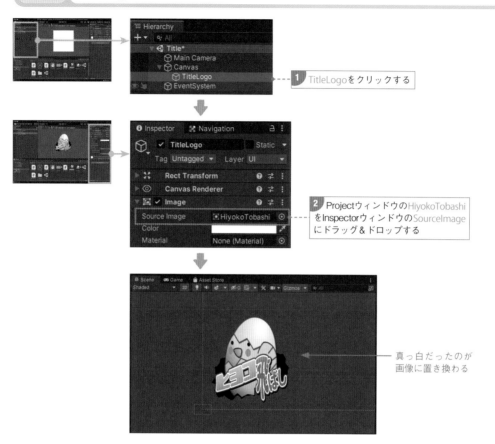

`1` TitleLogoをクリックする

`2` ProjectウィンドウのHiyokoTobashiをInspectorウィンドウのSourceImageにドラッグ＆ドロップする

真っ白だったのが画像に置き換わる

step 3　Anchorの位置を調整する

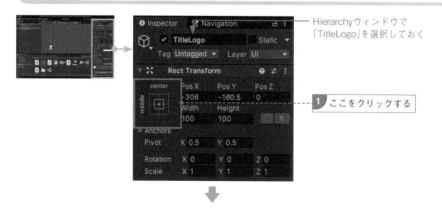

Hierarchyウィンドウで「TitleLogo」を選択しておく

`1` ここをクリックする

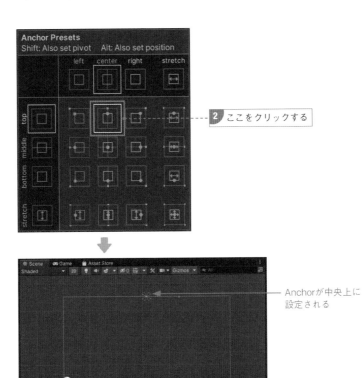

2 ここをクリックする

Anchorが中央上に
設定される

step 4 「TitleLogo」の位置と大きさを設定する

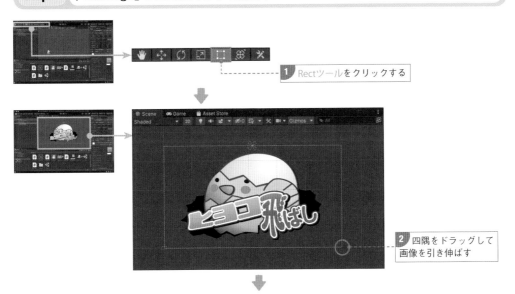

1 Rectツールをクリックする

2 四隅をドラッグして
画像を引き伸ばす

Canvasからはみ
出さないように
注意して引き伸
ばす

　Anchorを設定したのは、ゲームの実行環境によって画面のアスペクト比が変わっても、TitleLogoの位置がずれないようにするためです。

▷ Inspectorウィンドウでオブジェクトの名前を変更する　Tips

　Hierarchyウィンドウに配置したオブジェクトの名前は、Inspectorウィンドウから変更することができます。
　Inspectorウィンドウの一番上の欄は、選択中のオブジェクトの名前が表示されています。この欄をクリックして名前の変更を行うことができます。

fig ● オブジェクトの名前を変更する

ここをクリックして名前を変更する

3 スタートボタンを準備する

「Button」を配置します。配置後に、ボタンに表示されるテキストを「Start」と変更しましょう。

step 1 「Button」を追加する

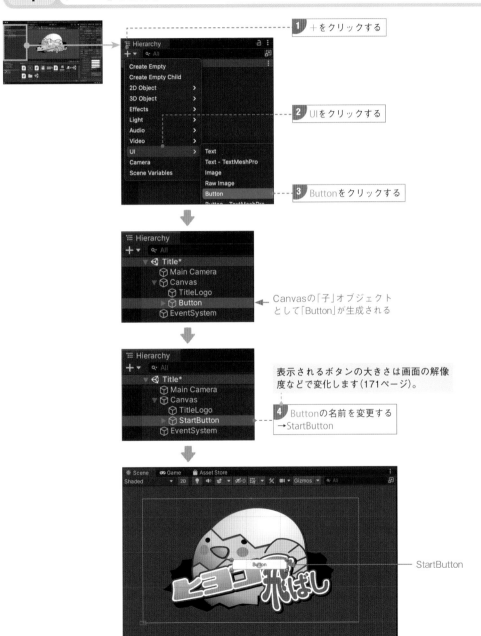

1 +をクリックする

2 UIをクリックする

3 Buttonをクリックする

Canvasの「子」オブジェクト
として「Button」が生成される

表示されるボタンの大きさは画面の解像
度などで変化します（171ページ）。

4 Buttonの名前を変更する
→StartButton

StartButton

Chapter 5　ゲームのUIを作ってみよう！

205

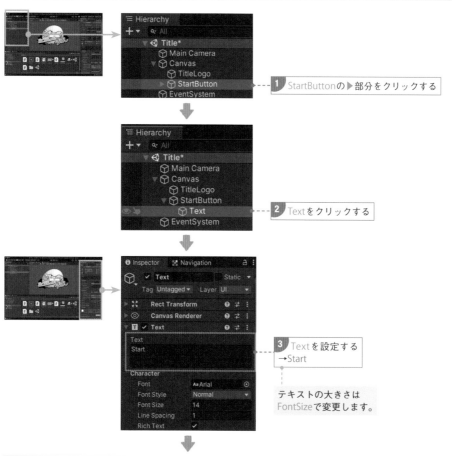

1 StartButtonの▶部分をクリックする

2 Textをクリックする

3 Textを設定する
→Start

テキストの大きさは
FontSizeで変更します。

ボタンのテキストが変更される

▷ ボタンの色を変更する

　ボタンに表示されるテキストの色を自由に変更することができます。「Text」オブジェクトの「Text」コンポーネントにあるColorをクリックすると表示されるウィンドウで文字色を選択します。通常の「Text」も同様の手順で色の変更を行えます。

fig ● テキストの色を変える

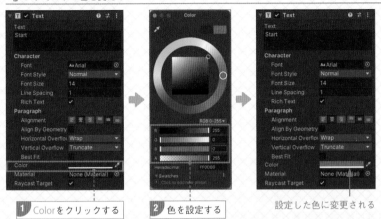

1 Colorをクリックする　　2 色を設定する　　　　　　　設定した色に変更される

　ボタンの色そのものを変更することもできます。「Button」オブジェクト（サンプルでは「StartButton」）の「Button」コンポーネントにあるNormal Colorから設定可能です。色と同時に透過率を設定することもできます。

　なお、Highlighted Colorはマウスポインターが上にきた時の色、Pressed Colorはクリックされた時の色、Disabled Colorは無効化された時の色を設定します。

fig ● ボタンの色を変える

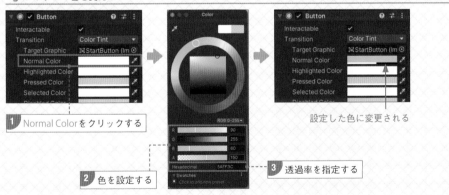

1 Normal Colorをクリックする

2 色を設定する　　3 透過率を指定する　　設定した色に変更される

fig ● ボタンとテキストの色が変更された！

4 「StartButton」の位置を調整する

　ボタンが追加されましたが、**画像に重なってしまっているので位置を調整します**。位置はおおよそで構いませんが、実行時にズレないようにAnchorを設定することを忘れないようにしましょう。

---

step 1　Anchorを設定する

1　StartButtonをクリックする

2　ここをクリックする

3　ここをクリックする

Anchorが中央上に
設定される

step 2　「StartButton」の位置を設定する

1　Posを設定する
→ X:0　Y:-280　Z:0

ボタンの位置は「TitleLogo」の大きさ
に合わせて調整してください。

ボタンの位置が調整された

　これで、タイトル画像とボタンの配置が完了しました。Gameビューに切り替えて、どのように表示されるかを確認しておきましょう。なお、ボタンの適切な座標（Pos）は、作成する環境によって異なる場合があります。ご自分の環境に合わせて調整をしてください。

▷ 背景の色を変更する

　タイトル画面とボタンを表示することはできましたが、背景の色が少し寂しいですね。背景の色を設定してみましょう。

　Canvasの背景を設定するにはUIオブジェクトの「Panel」を利用します。Hierarchyウィンドウで＋→UI→Panelをクリックして「Panel」を追加し、Inspectorウインドウで「Image」コンポーネントのColorで色を指定します（色の指定方法は207ページを参照してください）。Canvas内の「子」オブジェクトは、Hierarchyビューで「下」にあるものを「前」に描画します。一番後ろに描画されるように「Panel」の位置をドラッグして調整しましょう。

fig ● 背景の色を設定する

一番上に「Panel」を追加して、
色を指定する

5　スクリプトを作る

　スタートボタンに設定するスクリプトを作成します。ここでは、**ボタンクリックで指定したシーンに移動する処理**を作ります。

step 1 スクリプトを作成する

1 ＋をクリックする

Folder

C# Script

2 C# Script をクリックする

2D

Visual Scripting

Shader

Assets→Create→C# Script メニューでも作成できます。

「NewBehaviourScript」が生成される

3 NewBehaviourScript の名前を変更する →StartGame

step 2 スクリプトを記述する

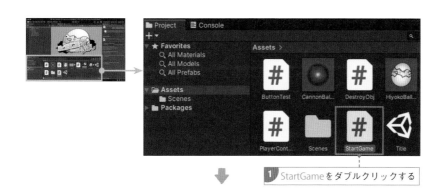

1 StartGame をダブルクリックする

Chapter 5 ゲームのUIを作ってみよう！

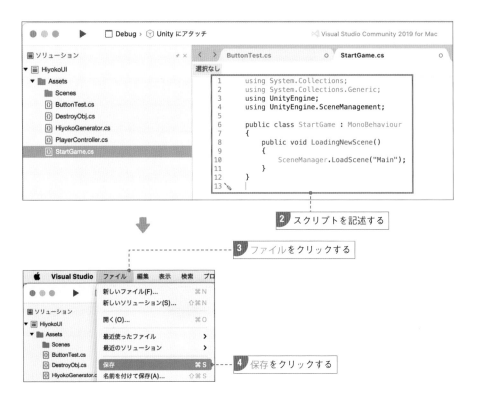

2 スクリプトを記述する

3 ファイルをクリックする

4 保存をクリックする

StartGame.cs　ボタンクリックでシーンを移動する

```
1    using System.Collections;
2    using System.Collections.Generic;
3    using UnityEngine;
4    using UnityEngine.SceneManagement;                           ❶
5
6    public class StartGame : MonoBehaviour
7    {
8        public void LoadingNewScene()                            ❷
9        {
10           SceneManager.LoadScene("Main");                       ❸
11       }
12   }
```
Unity2021Sample/Script/Chapter5/Text/StartGame.txt

シーンを移動する処理

このスクリプトは、次のような処理を行っています。

❶ライブラリの宣言
シーン遷移のために必要なライブラリ "UnityEngine.SceneManagement" を宣言しています。

シーンを移動する処理を作るためには、このライブラリの追加が必須です。

```
4   using UnityEngine.SceneManagement;
```

❷関数の宣言

ボタンから呼び出す関数 "LoadingNewScene" を宣言します。外部から呼び出すにはアクセス修飾子を "public" にします。

```
8       public void LoadingNewScene()
```

❸シーンを呼び出す処理

"SceneManager.LoadScene()" に呼び出すシーン名を指定します。LoadScene はシーンを読み込む命令です。ここでは「Main」シーンを指定しています（Main 以外のシーン名にしている場合は、ここをシーン名と合うように変えてください）。この命令が実行されると指定されたシーンに移動します。

```
10          SceneManager.LoadScene("Main");
```

6 スクリプトをボタンにアタッチする

作成したスクリプトをボタンにアタッチします。Projectウィンドウの「StartGame」をInspectorウィンドウの「StartButton」にドラッグ＆ドロップします。

step 1 スクリプトをボタンにアタッチする

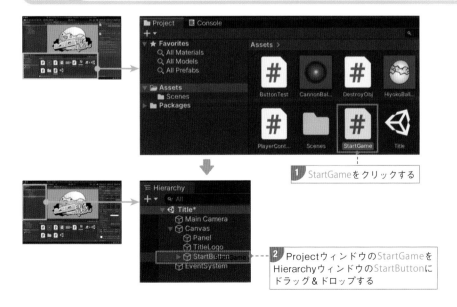

1 StartGameをクリックする

2 ProjectウィンドウのStartGameをHierarchyウィンドウのStartButtonにドラッグ＆ドロップする

7 ボタンクリックに処理を割り当てる

ボタンの OnClick イベントに StartGame スクリプト内の LoadingNewScene 関数を割り当てましょう。

step 1 ボタンとイベントを関連付ける

1 StartButton をクリックする

2 ＋をクリックする

3 Hierarchy ウィンドウから StartButton をドラッグ＆ドロップする

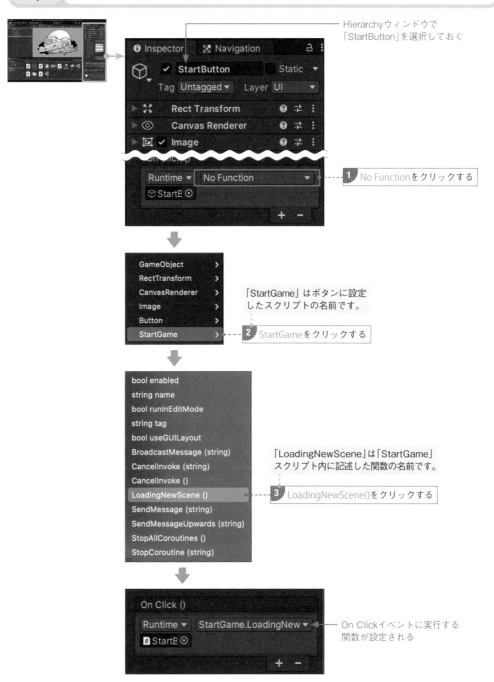

Hierarchyウィンドウで
「StartButton」を選択しておく

1 No Functionをクリックする

「StartGame」はボタンに設定
したスクリプトの名前です。

2 StartGameをクリックする

「LoadingNewScene」は「StartGame」
スクリプト内に記述した関数の名前です。

3 LoadingNewScene()をクリックする

On Clickイベントに実行する
関数が設定される

　　これでボタンクリックでスクリプトが実行できるようになりました。さっそくゲームを実行
して試してみると・・・、画面の変化はなく、エラーが発生してしまいます。**シーン遷移を行う
ためには、Unityにシーンを登録する必要があります。**続けて、その作業を行っていきましょう。

fig ● Consoleウィンドウにエラーが表示される！

8 シーンを登録する

シーンの登録は「Build Settings」で行います。ここで**遷移を行うシーン（遷移元と遷移先の シーン）を登録**します。なお、プロジェクトと同時に作成される「Scenes/SampleScene」は使用しないのでチェックを外します。

---

step 1　「Build Settings」を開く

① Fileをクリックする

② Build Settingsをクリックする

③ Scenes/SampleSceneの チェックを外す

216

step 2　シーンを登録する

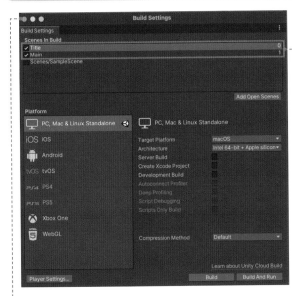

1 Projectウィンドウから
TitleとMainをドラッグ＆
ドロップする

2 ×をクリックして閉じる

▷ シーンの登録順

　Build Settingsにシーンを登録する際の順番に注意してください。ビルドしたゲームを実行する際、「Scenes In Build」欄の一番「上」に登録されているシーンが起動画面として表示されます。登録順はドラッグ＆ドロップで変更可能なので、起動時に最初に表示したいシーンが先頭にくるように並べ替えましょう。

fig ● シーンの順番を並べ替える

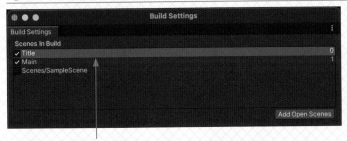

ゲームの開始時に最初に表示されるシーンを一番上に登録する

▷ Visual Scriptingでプログラムを書かずにコンテンツを作る

Unity2021からVisual Scriptingが追加されました。Inspector Windowにある「Add Component」を開くと「Visual Scripting」を見つけることができます。

Visual Scriptingはunit（ノード）をつなぐことでC#を書かずにインタラクティブなコンテンツ制作を行うことができる新しいUnityの機能になります。

このVisual Scripting機能は、Boltというアセットをunity社が買収して現在は無償で使用することが可能になりました。そして、Unity2021からはBoltがエディタに統合されて名前がVisual Scriptingになりました。

そのため、ゲーム開発でUnity2019やUnity2020を使う場合はアセットストアから無料でBoltというアセットをダウンロードすれば、同じようにVisual Scriptingを使えます。

Visual ScriptingとC#の処理を連携することも可能であり、プログラマーはこれまで通りC#で処理を書いて、デザイナーやプランナーはこのBoltを使って処理を作ることができます。unitを自作することも可能です。

ぜひC#が苦手でコンテンツ制作をあきらめていた人は、Visual Scriptingを学んでみることをお勧めします。

fig ● Bolt

以下の画面は、Playerをキーボードで動かす処理をVisual Scriptingで組んだ例です。

fig ● Playerをキーボードで動かす処理

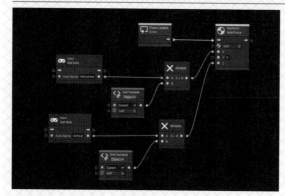

上記のPlayerをキーボードで動かすVisual Scriptingの処理をC#で組んだ例です。

script Playerをキーボードで動かすVisual Scriptingの処理

```
using System.Collections;
using System.Collections.Generic;
using UnityEngine;

public class PlayerController : MonoBehaviour
{
  // speedを制御する
  public float speed = 10;
  void FixedUpdate()
  {
    float x = Input.GetAxis("Horizontal");
    float z = Input.GetAxis("Vertical");
    Rigidbody rigidbody = GetComponent<Rigidbody>();
    // xとzにspeedを掛ける
    rigidbody.AddForce(x * speed, 0, z * speed);
  }
}
```

C#のみならずVisual Scriptingの使い方を学べば、Unityでできることの幅が広がっていくでしょう。

完成

以上で完成です。ゲームを実行するとタイトル画面が表示されるので、スタートボタンをクリックしてみましょう。ゲーム画面に移動して、ゲームが開始されます（開発環境上で実行する場合は、「Title」シーンを編集状態にして実行してください）。

Chapter5では、UIの作り方と、ボタンクリックでスクリプトを実行する方法、シーンを移動する方法を学びました。これらは使用頻度の高いテクニックなので、ぜひマスターして役立ててください。

これで完成！

Chapter 6

3Dゲームを作ってみよう！

Chapter 6 で作るサンプル

　Chapter6では、3Dの「障害物走ゲーム」を作ります。Unityのアセットストアには、ゲームを作る際の参考になるサンプルや役立つ素材が沢山配布されています。これらを使って、ステージやキャラクターを調整しながら自分だけのゲームを作っていきましょう。ライトやカメラを活用した演出や、タイムトライアルやハイスコアなど、いろいろなゲームに使える基本的なテクニックも盛り込んでいきます。

　Chapter6では、主に以下の内容を学んでいきます。

- アセットストアの使い方
- キャラクターの動かし方
- テクスチャの貼り付け方
- ライトを使った演出
- タイムやハイスコアの表示
- ゴールやリスタートの処理
- サウンドの鳴らし方

Chapter 6 で作るサンプルの完成イメージ

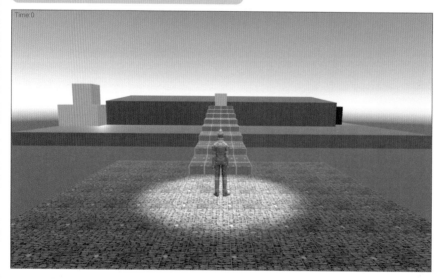

📁 サンプルプロジェクト→ StageRun
https://isbn2.sbcr.jp/10982/ よりダウンロード

6-01 プロジェクトを作ろう！

それでは新しくプロジェクトファイルを作成しましょう。この章では3Dゲームを作るので、最初の設定も「3D」にしましょう。

1 新規プロジェクトを作る

Unity Hubを起動して、新規プロジェクトを作成します。プロジェクトが作成できたら一度シーンを保存しましょう。これは何度もやってきていますね。

step 1　プロジェクトを作成する

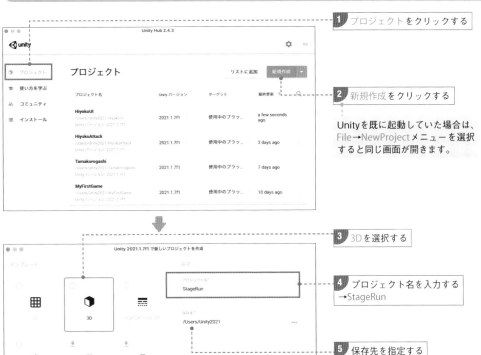

1 プロジェクト をクリックする

2 新規作成 をクリックする

Unityを既に起動していた場合は、File→NewProjectメニューを選択すると同じ画面が開きます。

3 3Dを選択する

4 プロジェクト名を入力する
→StageRun

5 保存先を指定する
（任意のフォルダー）

6 作成をクリックする

Chapter 6
3Dゲームを作ってみよう！

223

fig ● 新規プロジェクトが作成された！

6-02　ゲームの素材をプロジェクトに取り込もう

　3Dのキャラクターを使って障害物走ゲームを作るためには、キャラクターのデータが必要になります。Unityはゲームを作ることはできるのですが、キャラクターモデルなどの複雑な形の3Dデータを作ることができません。そこで、今回はUnityの**アセットストア（Asset Store）**を利用してゲームに必要なデータが含まれた「アセット」をダウンロードしてみましょう。

1　アセットストアを開く

　アセットストアには、ゲームを作るうえで役に立つツールや、3Dモデルデータなどの素材が販売されています（無料で使用できるものも沢山あります）。

　アセットストアを利用するためには、Unityのアカウントへのサインインが必要です（既にサインインを行っている場合は以下の作業をスキップしてください）。Unityへのサインインについては29ページも参照してください。

step 1　Unityのアカウントにサインインする

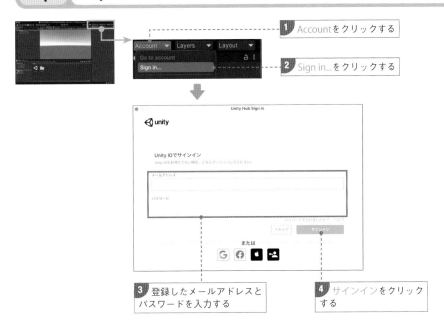

1 Accountをクリックする

2 Sign in...をクリックする

3 登録したメールアドレスとパスワードを入力する

4 サインインをクリックする

step 2　アセットストアを開く

1 Windowをクリックする

2 Asset Storeをクリックする

3 Search onlineをクリックする

2 アセットをインポートする

Webブラウザが起動して、Asset Storeのページが表示されます。目的のアセットを検索してダウンロードしましょう。今回は「Standard Assets」というアセットを使用します。

step 1 アセットを検索する

1 キーワードを入力する
→Standard Assets

アセットを Unity に読み込む

1 Standard Assets を
クリックする

2 Add to My Assets をク
リックする

一度でもダウンロードをして
いると、次回以降は「Add to
My Assets」ではなく「Open
in Unity」ボタンが表示され
ます。

Asset Store Terms of Service and EULA

Last updated: July 31, 2020
1. Background
1.1
The Unity Asset Store ("Unity Asset Store") is owned and
operated by Unity Technologies ApS (company no. 30 71 99
13), Niels Hemmingsens Gade 24, 1153 Copenhagen K,
Denmark ("Unity"). Your use of the Unity Asset Store is
governed by a legal agreement between you and Unity
consisting of these Asset Store Terms of Service ("Terms")
which you accept by checking the box indicating your
acceptance of these Terms and/or registering as a user of

| Cancel | Accept |

3 Accept をクリックする

4 Open in Unity をクリックする

Chapter 6

3Dゲームを作ってみよう!

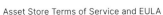

step 3 アセットをダウンロードする

過去にダウンロードし
ていて更新があった場
合は「Update」ボタンが
表示されます。その場
合は「Update」をクリッ
クしてください。

Download をクリックする

step 4 アセットをインポートする

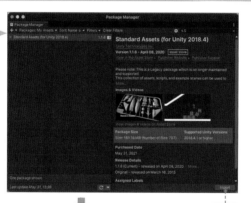

1 Import をクリックする

ここではプロジェクトに取り込み
たいファイルだけを選ぶこともで
きますが、Unityの理解が深まる
までは設定を変えずに作業を進め
ましょう。

2 Import をクリックする

インポートが完了すると、Projectウィンドウの「Assets」フォルダーの下に「SampleScenes」と「Standard Assets」フォルダーが追加されます。

fig ● プロジェクトにアセットが追加された！

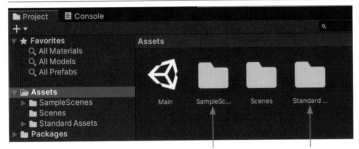

SampleScenes　Standard Assets

▷ エラーとなるファイルを削除する Tips

Unity 2021では、Standard Assetsをインポートするとエラーが発生するファイルがあります（2021年6月現在）。エラーが発生するファイルは削除してしまいましょう。

「Standard Assets」フォルダーの下にある「Utility」フォルダー内にある「SimpleActivatorMenu.cs」「ForceReset.cs」ファイルを削除します。

▷ Starter Assetsについて Tips

最新のアセットストアでUnity2018から更新が止まっているStandardAssetsに替わる Starter Assets - Third Person Character Controller - というアセットが公開されています。

ゲームの世界に配置するだけで最新の技術を使用したキャラクターを使用できるとても便利なアセットですが、内容がキャラクター関係に限定されており、本書ではゲーム制作の幅の広さを優先して様々な素材が提供されているStandard Assetsを使用した制作を進めます。

3 サンプルゲームを遊んでみよう

「Standard Assets」フォルダーには、Unityが公式に配布しているさまざまな素材データや便利機能などが入っています。ゲームを作るうえで役に立つものばかりですので、何か便利なものがあれば使っていきましょう。

fig ● 「Standard Assets」フォルダー

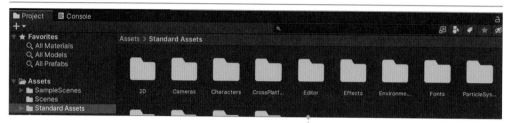

> 「Standard Assets」フォルダーの中身は、自由に使用したり他人に配布していいことになっています。そのため、今回ダウンロードした「Standard Assets」以外のアセットにも含まれていることがあります。

「SampleScenes」フォルダーには、ゲーム作りの参考となる、さまざまなサンプルゲームが収録されています。

fig ● 「SampleScenes」フォルダー

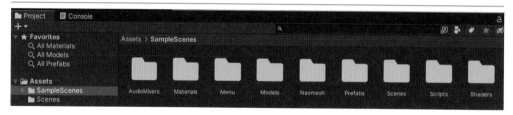

サンプルを開いてみましょう。Assets→SampleScenes→Scenesを選択してください。

fig ● 「Scenes」フォルダー

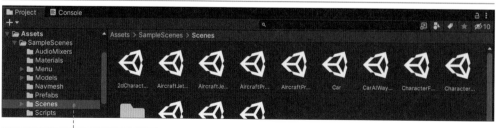

1 Assets→SampleScenes→Scenesをクリックする

「Scenes」フォルダーにはUnityのアイコンと同じアイコンのファイルが複数ありますね。こ
れらは、1つひとつがサンプルゲームのシーンデータです。このサンプルは、ある程度完成さ
れたゲームのシーンデータがどうなっているか知ることができる優秀な教材になります。

「CharacterThirdPerson」で遊んでみる

数あるサンプルのなかから、「CharacterThirdPerson」で遊んでみましょう。Projectウィン
ドウのCharacterThirdPersonをダブルクリックします。CharacterThirdPersonシーンが開い
たら、プレイボタンをクリックして実行してみましょう！ キー操作によって自由にキャラク
ターを動かすことができます。ステージに点在する赤い箱は押して動かすこともできます。

このサンプルは、三人称視点（ThirdPersionView）のゲームでの基本的な操作を紹介してい
るだけですので、目標やルールなどがありません。このサンプルゲームを参考に、キャラク
ターがステージ上を走るゲームを作っていきましょう。

fig ● 「CharacterThirdPerson」の画面

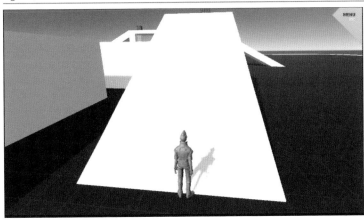

table ● 「CharacterThirdPerson」のプレイ方法

マウス操作	視点変更
上下左右キー（WASDキー）	キャラクター操作
Shiftキーを押しながらキャラクター操作	歩きモード
スペースキー	ジャンプ

シーンの構成を確認する

それでは、一度ゲームの実行を終了して、シーンデータの構成を見てみましょう。
Hierarchyウィンドウには、このサンプルゲームの世界に存在するオブジェクトが登録されて
います。

「ThirdPersonController」がキャラクターのオブジェクトです。モデルデータと、キャラクターを動かすための機能がセットになっています。「Lights」はゲームの世界を照らす灯（ライト）の機能です。「Cameras」はゲームの世界を撮影するカメラの機能です。その他、ステージのオブジェクトなどで構成されています。

fig ● 「ThirdPersonController」のオブジェクト

このように、SampleScenesには、ゲームを作るうえでのヒントが沢山用意されています。この他にもアセットストアからは、このようなチュートリアル用のサンプルゲームが無料で手に入りますので、作りたいゲームの手がかりとして探してみるとよいでしょう。

6-03 キャラクターを作ろう！

サンプルゲームを参考に、ここからは新しく「障害物走ゲーム」を作ります。

1 「Main」シーンを開く

「障害物走ゲーム」用に準備しておいた「Main」シーンを開きます。また、Sceneタブをクリックして、画面をSceneビューに戻しておきましょう。

step 1 「Main」シーンを開く

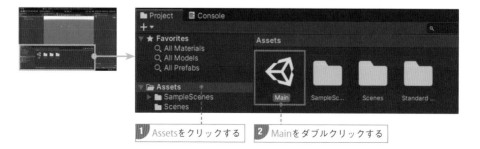

2 シーンの向きを調整する

Sceneビューの向きを画面を横から見た状態にします。視点が異なると、作成中の画面と本に掲載した画面が違ってきますので気をつけてください。シーンの向きの変え方については40ページを参照してください。

step 1 | シーンの向きを調整する

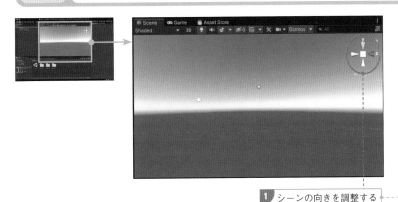

「y」が上、「z」が右にくる
ようにシーンギズモを調
整します。

1 シーンの向きを調整する

なお、ゲームの作成中は、シーンの向きを変えたり拡大・縮小したりして確認していくことがあるかと思います。向きを変えた場合は、この状態に戻すようにしてください。

3 スタート地点を作る

キャラクターを配置する場所として、これから作成する障害物走ゲームのスタート地点となる床を作りましょう。

床として使用するモデルデータはProjectウィンドウの「Assets」フォルダーから、Standard Assets→Prototyping→Prefabsと辿った先に収録されています。「Prefabs」フォルダーの中にはゲームを作るうえで簡易的ではありますがとても役に立つモデルデータが揃っています。

その中の「FloorPrototype08x01x08」というPrefabデータを使用していきましょう。名前の「08x01x08」は「横幅8m、高さ1m、奥行き8m」という意味です。モデルデータはプレハブ化されているので、Hierarchyウィンドウにドラッグ＆ドロップすればそのままシーンに配置できます。

Chapter 6　3Dゲームを作ってみよう！

233

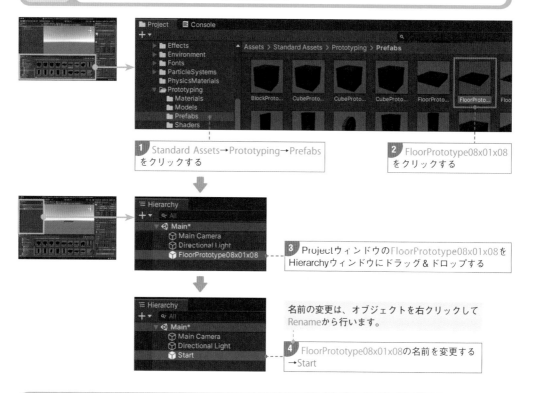

スタート地点はこの床があれば十分です。「Prefabs」フォルダーには他にもステージを作る
うえで役に立つ素材がいろいろ入っていますので、試してみたい方は床の上やそばに配置して
みましょう。

fig ● スタート地点の床が追加された！

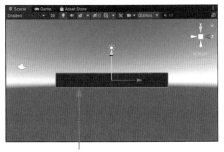 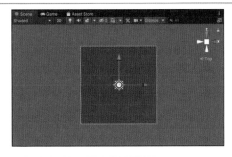

Start ●‑‑‑‑ Hierarchyウィンドウで追加したオブジェクトをダブルクリック
すると、Sceneビュー中央に表示することができます。

4 プレイヤーを作る

　　プレイヤーの分身となるオブジェクトをゲームの世界に登場させましょう。Standard Assets
には簡易的なプレイヤーキャラクターの素材も入っていますのでそれを使っていきます。

　　Projectウィンドウの「Assets」フォルダーから、Standard Assets→Characters→ThirdPerson
Character→Prefabsと辿ってください。その中の「ThirdPersonController」が今回使用するキャ
ラクターのデータ（プレハブ）です。キー操作に合わせて移動する処理が最初から設定されて
いるので、配置したらすぐに動かすことができます。

step 1　「ThirdPersonController」を追加する

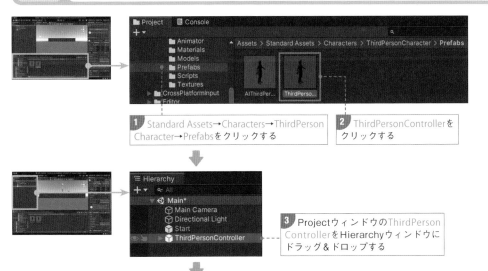

1 Standard Assets→Characters→ThirdPerson
Character→Prefabsをクリックする

2 ThirdPersonControllerを
クリックする

3 ProjectウィンドウのThirdPerson
ControllerをHierarchyウィンドウに
ドラッグ＆ドロップする

Chapter 6　3Dゲームを作ってみよう！

235

4 ThirdPersonControllerの名前を変更する
→Player

step 2 「Player」の位置、角度、大きさを設定する

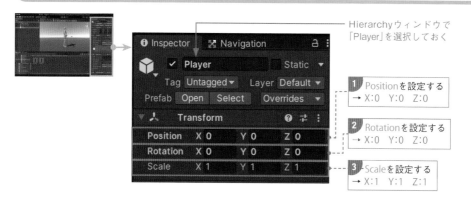

Hierarchyウィンドウで
「Player」を選択しておく

1 Positionを設定する
→ X:0　Y:0　Z:0

2 Rotationを設定する
→ X:0　Y:0　Z:0

3 Scaleを設定する
→ X:1　Y:1　Z:1

　プレイヤーの位置は、最初に作成した床の上に乗るようにします。Hierarchyウィンドウの Playerをダブルクリックしてみてください。Sceneビューが次の画像のように表示されたら正しく設定されています。

fig ● プレイヤーが配置された！

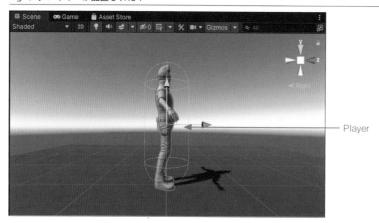

Player

StepUp

「ThirdPersonController」には、キー操作に合わせてプレイヤーを動かすスクリプトがあらかじめ設定されています。キャラクターを動かす処理を作成する際の参考にしてください。

5　プレイヤーにタグを設定する

タグ（Tag）はオブジェクトを識別するための情報で、スクリプトからオブジェクトを識別するために使用します。「Player」などの使用頻度の高いタグはあらかじめ用意されていて、選択するだけで設定できます。独自のタグを追加することもできます。

今回はプレイヤーにあらかじめ用意されている「Player」タグを設定しておきます。こうすることで、これから作成していくステージのギミック用のスクリプトからプレイヤー（のオブジェクト）を識別できるようになります。

step 1 「Player」タグを設定する

プレイヤーが配置できたら、一度ゲームを実行して動きを確認してみましょう。うまくできていれば、キーボードの矢印キーもしくは［A］［S］［D］［W］キーでプレイヤーが動き出します。

fig ● プレイヤーを動かしてみよう

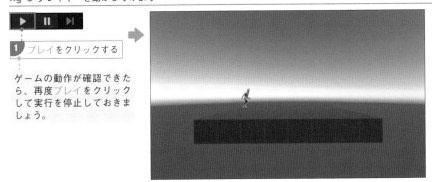

6-04 プレイヤーに合わせてカメラを動かそう！

　スタート地点とプレイヤーを作成したことで、プレイヤーを自由に動かすことができるようになりました。ですが、今のままではゲームを映すカメラの位置は固定されていて、カメラの範囲外にプレイヤーが移動すると見えなくなってしまいます。

　プレイヤーの動きに合わせてゲーム画面も動いてくれないのは不便です。まだ床を1つ置いただけなのでプレイヤーを見失うことはありませんが、ステージを拡張していくといずれ画面外に消えてしまうことになります。そうならないように、プレイヤーの動きに合わせてカメラが移動するようにして、常にプレイヤーがゲーム画面に映るようにしてみましょう。

fig ● カメラは固定されている

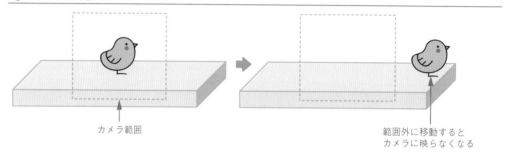

カメラ範囲　　　　　　　　　　　　　　　範囲外に移動すると
　　　　　　　　　　　　　　　　　　　カメラに映らなくなる

fig ● プレイヤーに合わせてカメラを移動させる

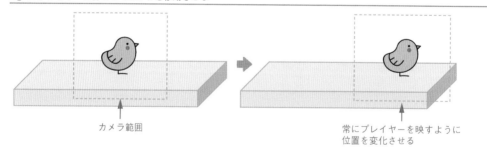

カメラ範囲　　　　　　　　　　　　　　　常にプレイヤーを映すように
　　　　　　　　　　　　　　　　　　　位置を変化させる

1　カメラを作る

　ゲーム画面に表示されるのは、ゲームの世界に配置された「カメラ」が映している範囲ということはChapter3で解説しました。なので、プレイヤーに合わせてゲーム画面を動かすためには、カメラを操作する必要があります。プロジェクトに最初から配置されている「Main Camera」をスクリプトで動かすことも可能ですが、ここではもっと簡単な方法で実現していきましょう。Standard Assetsにはアクションゲームでよく使われるカメラがいくつか用意されていますので、今回作成するゲームに使用してみましょう。

Projectウィンドウの「Assets」フォルダーからStandard Assets→Cameras→Prefabsと辿ってください。その中には4つのカメラ機能があります。今回のゲームではこの中の「Multipurpose CameraRig」を使用したいと思います。このカメラは、「Playerタグが設定されたキャラクターの動きを自動で追従」してくれます。プレイヤー（Player）のタグが「Player」になっていることを再度確認しておいてください（タグの設定は237ページを参照してください）。

table 🥣 「Standard Assets」に用意されたカメラ

CctvCamera	空中に固定した地点からプレイヤーを追うカメラ
FreeLookCameraRig	プレイヤーに追従してマウス操作で視点移動ができるカメラ
HandheldCamera	手振れを再現したカメラ
MultipurposeCameraRig	プレイヤーに追従してプレイヤーが向いている方向が正面になるように回転してくれるカメラ

step 1 　「MultipurposeCameraRig」を追加する

1 Standard Assets→Cameras→Prefabsをクリックする

2 MultipurposeCameraRigをクリックする

3 ProjectウィンドウのMultipurposeCameraRigをHierarchyウィンドウにドラッグ＆ドロップする

4 MultipurposeCameraRigの名前を変更する→TuisekiCamera

step 2 「Main Camera」を削除する

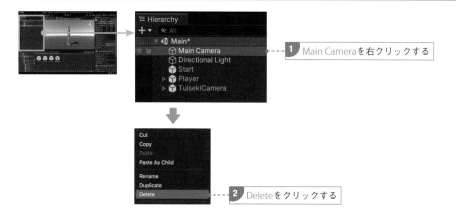

Main Cameraを右クリックする

Deleteをクリックする

「Main Camera」を削除すると、ゲームを映すカメラが追加した「TuisekiCamera」に自動的に切り替わります。これだけで、キャラクターの動きに合わせて移動するカメラの機能がゲームに追加されました。

ここまでできたら、一度ゲームを実行して動作を確認してみてください。もし、カメラがプレイヤーを正しく追跡してくれなかった場合は、237ページで解説したタグの設定が正しくできていません。もう一度設定を確認してください。

fig ● プレイヤーに合わせてゲーム画面が動くようになった！

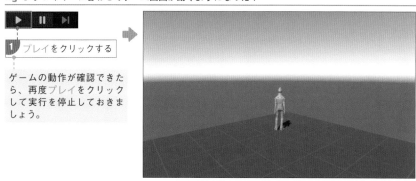

プレイをクリックする

ゲームの動作が確認できたら、再度プレイをクリックして実行を停止しておきましょう。

6-05 ステージを作ろう！

まだスタート地点しかないので、プレイヤーが歩ける場所がほとんどありません。もっとステージを広げてプレイヤーがあちこちと歩けるようにしていきましょう。障害物走ゲームなので、プレイヤーを邪魔するオブジェクトを配置する必要もありますね。

まずはゴールまでの道を作成して、その後に障害物を配置していきましょう。

fig ● ステージの配置のイメージ

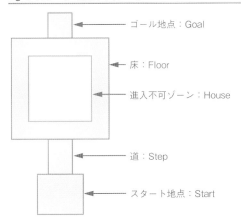

ゴール地点：Goal

床：Floor

進入不可ゾーン：House

道：Step

スタート地点：Start

1 「Step」を作る

スタート地点と床をつなぐ道を作成します。

Projectウィンドウの「Assets」フォルダーからStandard Assets→Prototyping→Prefabsと辿り、「StepsPrototype04x02x02」をHierarchyウィンドウにドラッグ＆ドロップします。

step 1 「StepsPrototype04x02x02」を追加する

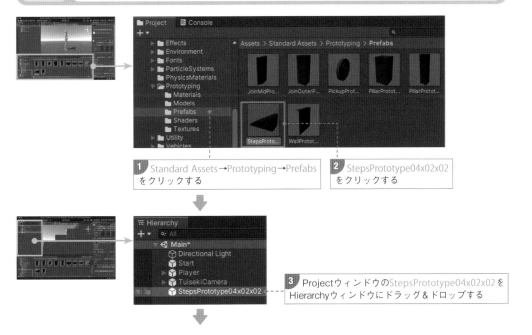

1 Standard Assets→Prototyping→Prefabs
をクリックする

2 StepsPrototype04x02x02
をクリックする

3 ProjectウィンドウのStepsPrototype04x02x02を
Hierarchyウィンドウにドラッグ＆ドロップする

4 StepsPrototype04x02x02の名前を変更する
→Step

step 2 「Step」の位置、角度、大きさを設定する

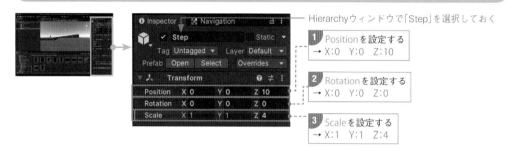

Hierarchyウィンドウで「Step」を選択しておく

1 Positionを設定する
→ X:0 Y:0 Z:10

2 Rotationを設定する
→ X:0 Y:0 Z:0

3 Scaleを設定する
→ X:1 Y:1 Z:4

　「Step」が配置されました。位置関係を確かめるために、シーンの向きや拡大・縮小を変更しながら見ていきましょう（確認が終わったら、向きなどは元に戻します）。

fig ● 「Step」が配置された！

Step

2 「Floor」を作る

　ステージ中央の大きな床を作成します。Projectウィンドウの「Assets」フォルダーからStandard Assets→Prototyping→Prefabsと辿り、「FloorPrototype08x01x08」をHierarchyウィンドウにドラッグ＆ドロップします。

step 1 「FloorPrototype08x01x08」を追加する

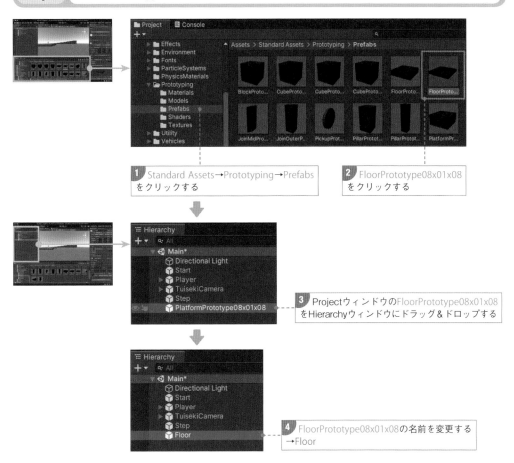

1 Standard Assets→Prototyping→Prefabs
をクリックする

2 FloorPrototype08x01x08
をクリックする

3 ProjectウィンドウのFloorPrototype08x01x08
をHierarchyウィンドウにドラッグ&ドロップする

4 FloorPrototype08x01x08の名前を変更する
→Floor

step 2 「Floor」の位置、角度、大きさを設定する

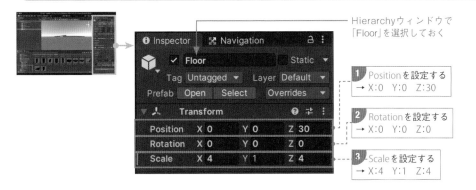

Hierarchyウィンドウで
「Floor」を選択しておく

1 Positionを設定する
→ X:0 Y:0 Z:30

2 Rotationを設定する
→ X:0 Y:0 Z:0

3 Scaleを設定する
→ X:4 Y:1 Z:4

Chapter 6　3Dゲームを作ってみよう！

fig ● 「Floor」が追加された！

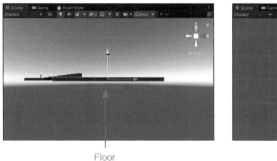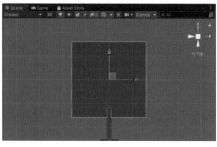

Floor

3 「Goal」を作る

ゴール地点の床を作成します。Projectウィンドウの「Assets」フォルダーから、Standard Assets→Prototyping→Prefabsと辿り、「FloorPrototype04x01x04」をHierarchyウィンドウにドラッグ&ドロップします。

step 1　「FloorPrototype04x01x04」を追加する

1 Standard Assets→Prototyping→Prefabs をクリックする

2 FloorPrototype04x01x04を クリックする

3 ProjectウィンドウのFloorPrototype04x01x04を Hierarchyウィンドウにドラッグ&ドロップする

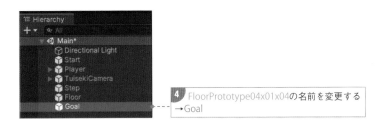

4 FloorPrototype04x01x04の名前を変更する
→Goal

---

step 2 「Goal」の位置、角度、大きさを設定する

Hierarchyウィンドウで
「Goal」を選択しておく

1 Positionを設定する
→ X:0 Y:0 Z:48

2 Rotationを設定する
→ X:0 Y:0 Z:0

3 Scaleを設定する
→ X:1 Y:1 Z:1

fig ● 「Goal」が追加された！

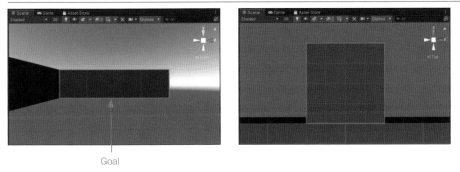

Goal

4 「House」を作る

中央の床の上に高台になった進入不可ゾーンを作ります。Projectウィンドウの「Assets」フォルダーから Standard Assets→ Prototyping→ Prefabsと辿り、「**HousePrototype16x16x24**」をHierarchyウィンドウにドラッグ＆ドロップします。

Chapter 6　3Dゲームを作ってみよう！

step 1 「HousePrototype16x16x24」を追加する

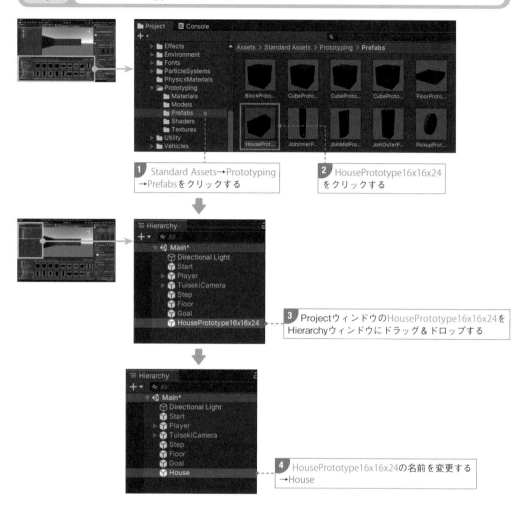

1 Standard Assets→Prototyping →Prefabsをクリックする

2 HousePrototype16x16x24 をクリックする

3 ProjectウィンドウのHousePrototype16x16x24を Hierarchyウィンドウにドラッグ＆ドロップする

4 HousePrototype16x16x24の名前を変更する →House

step 2 「House」の位置、角度、大きさを設定する

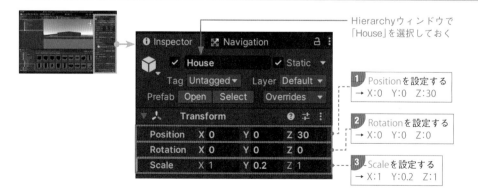

Hierarchyウィンドウで 「House」を選択しておく

1 Positionを設定する → X:0　Y:0　Z:30

2 Rotationを設定する → X:0　Y:0　Z:0

3 Scaleを設定する → X:1　Y:0.2　Z:1

fig ● 「House」が追加された！

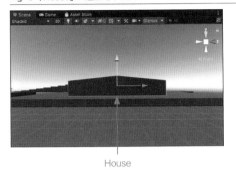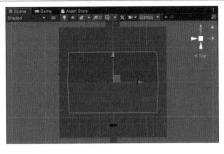

House

　　ステージを拡張したことで前よりも移動できる範囲が広がりました。ゲームを実行して確認
しましょう。

fig ● ステージ上を動いてみよう！

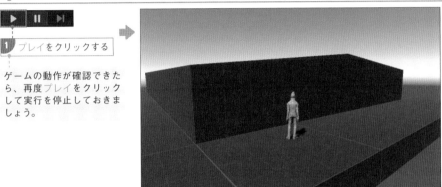

プレイをクリックする

ゲームの動作が確認できた
ら、再度プレイをクリック
して実行を停止しておきま
しょう。

　　この時点のHierarchyウィンドウの状態は、以下の図のようになります。

fig ● この時点のHierarchyウィンドウ

StepUp

　床の数や広さは自由に設定可能です。床の組み合わせによって、より複雑なステージが作れます。
ステージの作り方に慣れてきたら自分なりの配置を作ってみましょう！

▷ 「空のオブジェクト」でまとめて管理する Tips

ゲームのステージは複数のオブジェクトから成り立っていますね。それぞれのオブジェクトを
Hierarchyウィンドウでそれぞれ独立させていても、ゲームとしては問題はありません。しかし、管理的
には「Stage」などとして1つのまとまりにした方がスッキリします。「空のオブジェクト」は、このよう
に1つのまとまりとして複数のオブジェクトをまとめたい時にも使われます。

Hierarchyウィンドウで＋→Create Emptyから「空のオブジェクト」を作成し、名前を「Stage」と変更
したうえで、ステージ用のオブジェクトを「Stage」の「子」オブジェクトとします。こうすることで、
Hierarchyウィンドウをスッキリと管理できます。

fig ● オブジェクトはまとめて管理しよう

6-06 障害物を配置しよう！

プレイヤーの邪魔をする障害物を作成していきます。障害物には、プレイヤーが「押すこと
ができるブロック」と「押すことができないブロック」の2種類を用意しましょう。

1 「押すことができるブロック」を配置する

最初のブロックはプレイヤーが押せるタイプのものを配置します。押せるブロックは
Projectウィンドウの「Assets」フォルダーからSampleScenes→Prefabsと辿った先にある
「Box」「BoxPile」「BoxSmall」の3つです。この中の「BoxSmall」と「BoxPile」を使いましょう。

step 1 「BoxSmall」を追加する

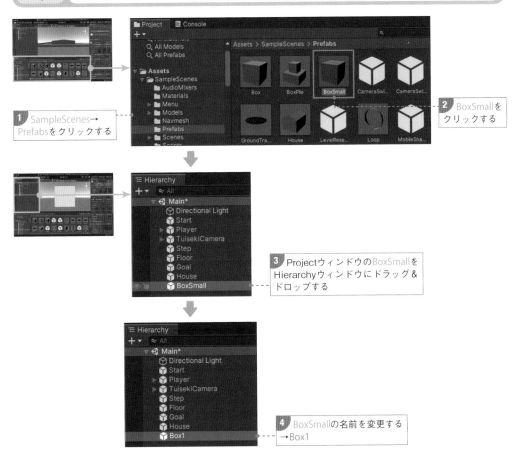

1 SampleScenes→
Prefabsをクリックする

2 BoxSmallを
クリックする

3 ProjectウィンドウのBoxSmallを
Hierarchyウィンドウにドラッグ＆
ドロップする

4 BoxSmallの名前を変更する
→Box1

step 2 「Box1」の位置、角度、大きさを設定する

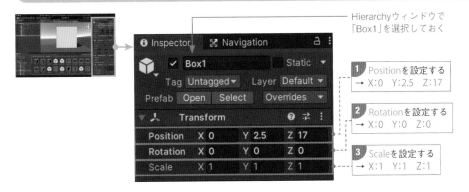

Hierarchyウィンドウで
「Box1」を選択しておく

1 Positionを設定する
→ X:0　Y:2.5　Z:17

2 Rotationを設定する
→ X:0　Y:0　Z:0

3 Scaleを設定する
→ X:1　Y:1　Z:1

step 3 「BoxPile」を追加する

1 SampleScenes→Prefabsをクリックする

2 BoxPileをクリックする

3 ProjectウィンドウのBoxPileをHierarchyウィンドウにドラッグ＆ドロップする

4 BoxPileの名前を変更する→Box2

step 4 「Box2」の位置、角度、大きさを設定する

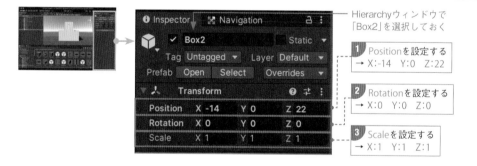

Hierarchyウィンドウで「Box2」を選択しておく

1 Positionを設定する→ X:-14　Y:0　Z:22

2 Rotationを設定する→ X:0　Y:0　Z:0

3 Scaleを設定する→ X:1　Y:1　Z:1

fig ● 「Box1」が追加された！

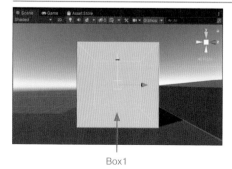

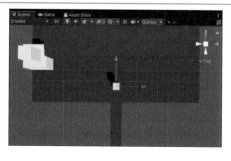

Box1

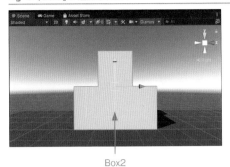 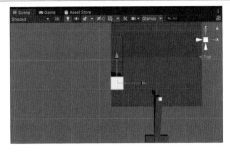

Box2

ステージの正面と左側のルートに押せるブロックを配置しました。ゲームを実行して確認してみましょう。

fig ● 押せるブロックが配置された！

1 プレイをクリックする

ゲームの動作が確認できたら、再度プレイをクリックして実行を停止しておきましょう。

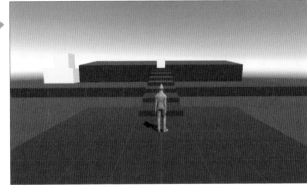

2 「押すことができないブロック」を配置する

次は押すことができないブロックを配置します。右側のルートはまだ何も置いていないので、そちらに重点的に配置していきましょう。押すことができないブロックは、Projectウィンドウの「Assets」フォルダーからStandard Assets→Prototyping→Prefabsと辿った先にある「Block Prototype04x04x04」を使用します。

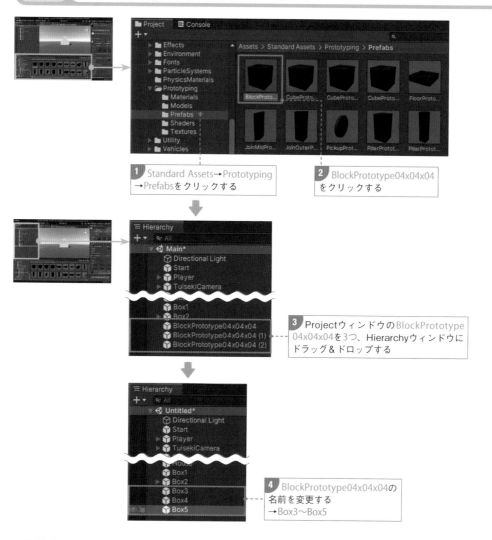

step 1	「BlockPrototype04x04x04」を3つ追加する

1 Standard Assets→Prototyping →Prefabsをクリックする

2 BlockPrototype04x04x04 をクリックする

3 ProjectウィンドウのBlockPrototype 04x04x04を3つ、Hierarchyウィンドウに ドラッグ＆ドロップする

4 BlockPrototype04x04x04の 名前を変更する →Box3〜Box5

step 2	「Box3」の位置、角度、大きさを設定する

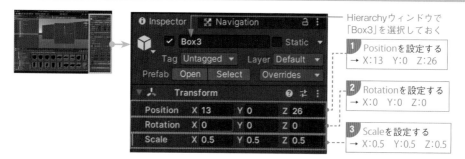

Hierarchyウィンドウで 「Box3」を選択しておく

1 Positionを設定する → X:13　Y:0　Z:26

2 Rotationを設定する → X:0　Y:0　Z:0

3 Scaleを設定する → X:0.5　Y:0.5　Z:0.5

step 3　「Box4」の位置、角度、大きさを設定する

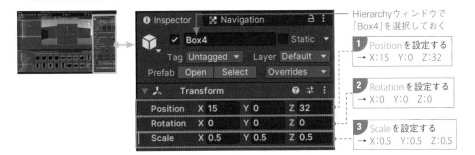

Hierarchyウィンドウで
「Box4」を選択しておく

1 Positionを設定する
→ X:15　Y:0　Z:32

2 Rotationを設定する
→ X:0　Y:0　Z:0

3 Scaleを設定する
→ X:0.5　Y:0.5　Z:0.5

step 4　「Box5」の位置、角度、大きさを設定する

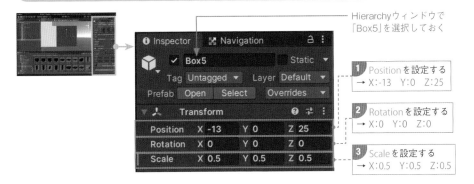

Hierarchyウィンドウで
「Box5」を選択しておく

1 Positionを設定する
→ X:-13　Y:0　Z:25

2 Rotationを設定する
→ X:0　Y:0　Z:0

3 Scaleを設定する
→ X:0.5　Y:0.5　Z:0.5

fig ● 押すことができないブロックも配置された！

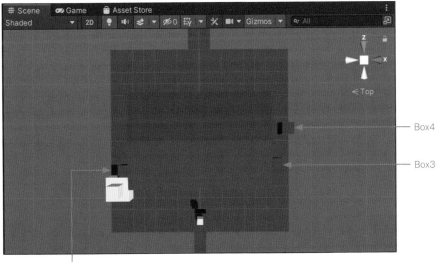

Box4

Box3

Box5

▷ **なぜ押すことができないのか？**　　　　　　　　　　　　　　　　　　　Tips

　「BoxSmall」「BoxPile」は押すことができるのに、「BlockPrototype04x04x04」が押すことができない
のはなぜでしょうか？ 答えは簡単で「BlockPrototype04x04x04」にリジッドボディ（Rigidbody）が設定
されていないからです。リジッドボディとはChapter3で学びましたね。リジッドボディがないので、プレ
イヤーの「押す」という物理的な動きが反映されないのです。

6-07　ステージにテクスチャを設定しよう！

　ここまででステージを作ることができましたが、青一色で味気ない見た目になっていますね。
ここからはゲームの雰囲気を作っていきます。

　ゲームの雰囲気は、床や壁などにテクスチャを貼り付けて見た目を現実に近づけたり、ゲー
ムの世界を照らすライトをうまく利用することで格段によくなります。

fig ● ステージの見た目をよくする

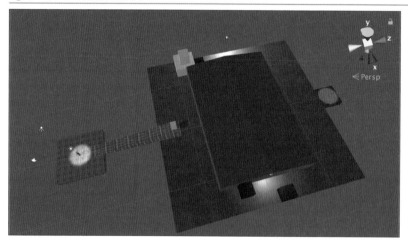

1　テクスチャを入手する

　3Dのオブジェクトは、表面にテクスチャ（画像）を貼ることができます。テクスチャを使用
することで、オブジェクトの表現を広げることができます。

　アセットストアには、無料のものから有料のものまで沢山のテクスチャが用意されています。
これらを活用していきましょう。ここでは「Yughues Free Architectural Materials」というア
セットを使います。なお、アセットストアを使用するためには、Unityアカウントへのサイン
インが必要です（225ページを参照）。

step 1　アセットストアを開く

1　Windowをクリックする

2　Asset Storeをクリックする

3　Search onlineをクリックする

step 2　アセットを検索する

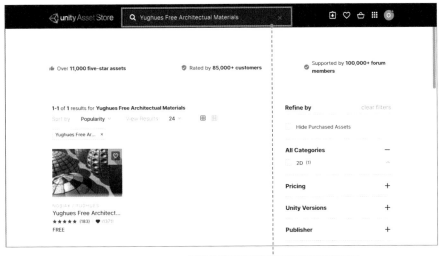

1　キーワードを入力する
→Yughues Free Architectural Materials

アセットを Unity に読み込む

1 Yughues Free Architectural Materials をクリックする

2 Add to My Assets をクリックする

この画面は、既にアセットのインポートを行っている場合は表示されないことがあります。

3 Accept をクリックする

4 Open in Unity をクリックする

step 4 「Yughues Free Architectural Materials」をインポートする

1 Downloadをクリックする

2 Importをクリックする

3 Importをクリックする

　Projectウィンドウの「Assets」フォルダーに「Architecture textures pack」が追加されます。なかには沢山のフォルダーがありますが、1つひとつが画像のデータになります。なお、インポートが完了したらSceneタブをクリックして、画面をSceneビューに戻しておきましょう。

fig ● 「Yughues Free Architectural Materials」が追加された

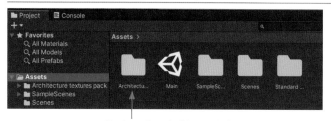

Yughues Free Architectural Materials

2 スタート地点にテクスチャを貼り付ける

インポートしたテクスチャをステージの部品に貼っていきましょう。最初は**スタート地点**（Start）に貼っていきます。ここでは、Projectウィンドウの「Assets」フォルダーから Architecture textures pack→Gabion wallと辿った先にある「**Gabion wall diffuse**」を使用します。

step 1 「Start」にテクスチャ貼り付ける

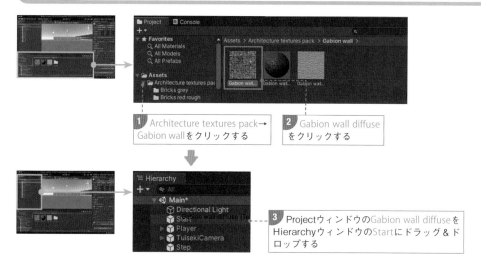

1 Architecture textures pack→ Gabion wallをクリックする

2 Gabion wall diffuse をクリックする

3 ProjectウィンドウのGabion wall diffuseを HierarchyウィンドウのStartにドラッグ＆ド ロップする

fig ● 「Start」にテクスチャが設定された！

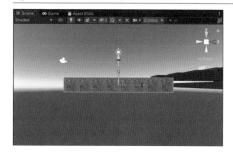
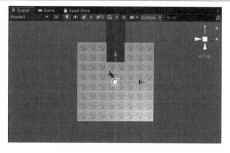

なお、ProjectウィンドウのテクスチャをSceneビュー上のオブジェクトにドラッグ＆ドロップすることでも、同様にテクスチャの貼り付けができます。

3 道にテクスチャを貼り付ける

次は道（Step）に貼っていきます。Projectウィンドウの「Assets」フォルダーからArchitecture textures pack→Plasterboardと辿った先にある「Plasterboard diffuse」を使用します。

---

step 1 「Step」にテクスチャを貼り付ける

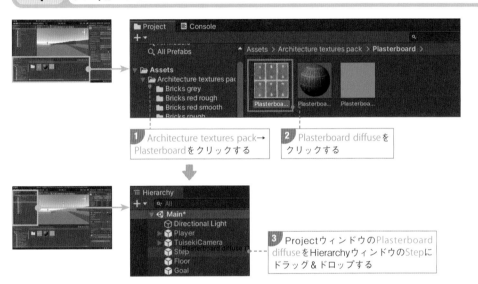

1 Architecture textures pack→Plasterboardをクリックする

2 Plasterboard diffuseをクリックする

3 ProjectウィンドウのPlasterboard diffuseをHierarchyウィンドウのStepにドラッグ＆ドロップする

fig ● 「Step」にテクスチャが設定された！

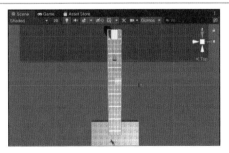

4 床にテクスチャを貼り付ける

床（Floor）に貼っていきます。Projectウィンドウの「Assets」フォルダーからArchitecture textures pack→Bricks red smoothと辿った先にある「Bricks red smooth diffuse」を使用します。

step 1 「Floor」にテクスチャを貼り付ける

1 Architecture textures pack→Bricks red smoothをクリックする

2 Bricks red smooth diffuseをクリックする

3 ProjectウィンドウのBricks red smooth diffuseをHierarchyウィンドウのFloorにドラッグ＆ドロップする

fig ● 「Floor」にテクスチャが設定された！

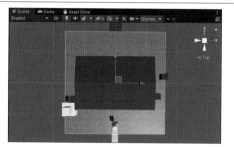

5 ゴール地点にテクスチャを貼り付ける

ゴール地点（Goal）に貼っていきます。Projectウィンドウの「Assets」フォルダーから
Architecture textures pack→Lacquered pebblesと辿った先にある「**Lacquered pebbles diffuse**」
を使用します。

step 1 「Goal」にテクスチャを貼り付ける

1 Architecture textures pack→
Lacquered pebblesをクリックする

2 Lacquered pebbles
diffuseをクリックする

3 ProjectウィンドウのLacquered pebbles
diffuseをGoalにHierarchyウィンドウのド
ラッグ＆ドロップする

fig ● 「Goal」にテクスチャが設定された！

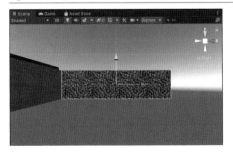
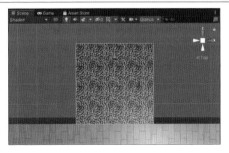

Chapter 6　3Dゲームを作ってみよう！

6 進入不可ゾーンにテクスチャを貼り付ける

ステージ中央に配置した進入不可ゾーン（House）にもテクスチャを設定します。Architecture textures pack→Roof tiles weatheredにある「Roof tiles weathered diffuse」を使用します。

step 1 「House」にテクスチャを貼り付ける

1 Architecture textures pack→Roof tiles weatheredをクリックする

2 Roof tiles weathered diffuseをクリックする

3 ProjectウィンドウのRoof tiles weathered diffuseをHierarchyウィンドウのHouseにドラッグ＆ドロップする

fig ● 「House」にテクスチャが設定された！

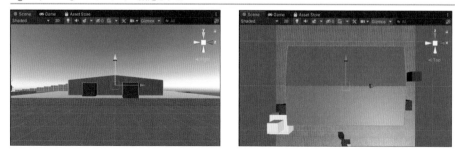

　これでテクスチャの貼り付けは完了です。ゲームを実行して、ステージの上からどのように見えるかを確認しておきましょう。

fig ● ステージにテクスチャが設定された！

ゲームの動作が確認できたら、再度プレイをクリックして実行を停止しておきましょう。

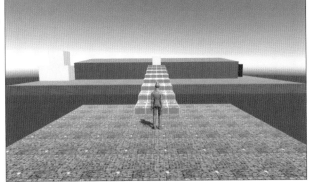

▷ テクスチャの確認　　　　　　　　　Tips

オブジェクトにどのテクスチャが設定されているかは、Mesh RendererコンポーネントのMaterials→Element 0で確認することができます。

fig ● テクスチャを確認する

← ここでテクスチャが確認できる

▷ Skybox　　　　　　　　　　　　　Tips

Unityには、ステージの背景として「空」を作る機能も用意されています。それがSkybox（スカイボックス）です。Skyboxは、大地の上を覆っている半球状のドームのようなものです。デフォルトの状態では青空ですが、マテリアルを設定することでさまざまな空を作ることができます。

マテリアルの変更は、Window→Rendering→Lightingメニューを選択し、表示されるウィンドウのEnvironmentタブからSkybox Materialで指定します。

Skybox用のマテリアルはアセットストアに沢山用意されています。空を変えてみたいのであれば、探してみるとよいでしょう。「Sky5X One」など無料で使える空もあります。ダウンロードして上記のSkybox Materialに設定することで空の見た目を変更することができます。

6-08 ライトを追加しよう！

ステージの見た目をカッコよくするにはライトは欠かせない存在です。今回はUnityの標準のライトである「Spotlight」と「Point Light」を使用して、コースを幻想的に演出していきます。

1 「Directional Light」を弱くする

新しくプロジェクトやシーンを作成すると、最初からDirectional Lightが用意されています。Directional LightもUnityの標準のライトの1つで、太陽光のような働きをするものです。光の当たり具合や色合いを調整することで、朝方や日中のようなシチュエーションを表現することができます。

まずはこの**ライトの強さを弱めて、全体的に少し暗く**なるようにしてみましょう。カメラの明るさは、LightコンポーネントのIntensityの値で調整します。

---

step 1 「Directional Light」を弱くする

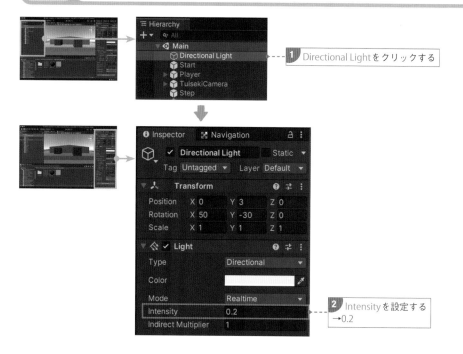

1 Directional Lightをクリックする

2 Intensityを設定する
→0.2

これでステージが少し暗くなりました。Gameビューで確認してみましょう。全体を暗くすることで、これから作成するライトが前より目立つようになります。

fig ● 画面全体が少し暗くなった！

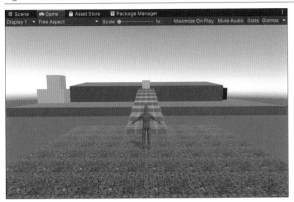

2 スタート地点に「Spotlight」を追加する

　「Spotlight」とはその名の通り、スポットライトのような光の機能です。特定のオブジェクトや場所を強調させたりする場合にとても効果的なライトです。**プレイヤーのスタート位置をスポットライトで照らすようにしてみましょう。**

step 1 「Spotlight」を追加する

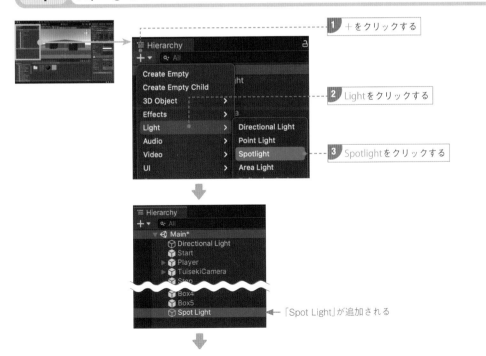

1 ＋をクリックする

2 Lightをクリックする

3 Spotlightをクリックする

「Spot Light」が追加される

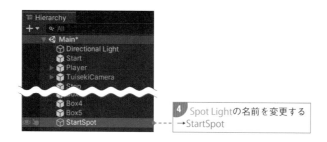

4 Spot Lightの名前を変更する
→StartSpot

step 2 「StartSpot」の位置、角度、大きさを設定する

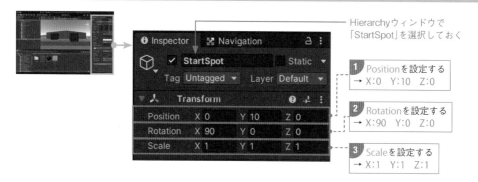

Hierarchyウィンドウで
「StartSpot」を選択しておく

1 Positionを設定する
→ X:0　Y:10　Z:0

2 Rotationを設定する
→ X:90　Y:0　Z:0

3 Scaleを設定する
→ X:1　Y:1　Z:1

step 3 「StartSpot」の強さなどを調整する

Hierarchyウィンドウで
「StartSpot」を選択しておく

1 Rangeを設定する
→ 30

2 Spot Angleを設定する
→ 25

3 Intensityを設定する
→ 3

　これで、スタート地点にスポットライトが追加されました。Gameビューで確認してみましょう。なお、Rangeは光の届く距離、Spot Angleは光の当たる範囲、Intensityは光の強さを設定する項目です。

fig ● スタート地点にスポットライトが設定された！

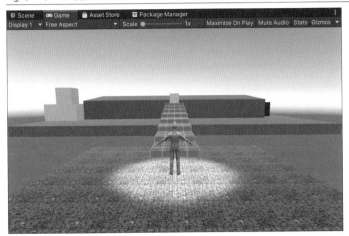

3 ゴール地点に「Spotlight」を追加する

ゴール地点にもスポットライトを追加します。今度はライトの色も変えてみましょう。

step 1 「Spotlight」を追加する

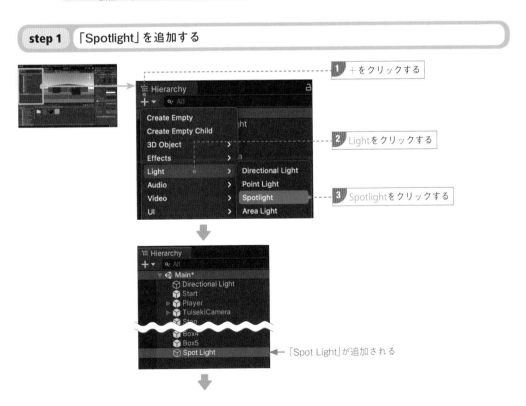

1 +をクリックする

2 Lightをクリックする

3 Spotlightをクリックする

「Spot Light」が追加される

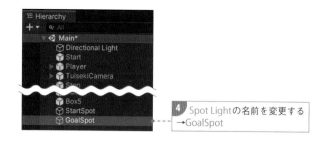

4 Spot Lightの名前を変更する
→GoalSpot

step 2 「GoalSpot」の位置、角度、大きさを設定する

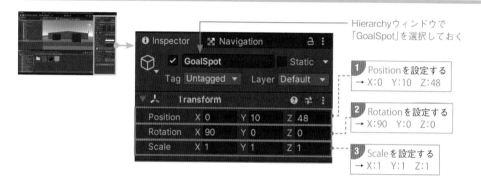

Hierarchyウィンドウで
「GoalSpot」を選択しておく

1 Positionを設定する
→ X:0 Y:10 Z:48

2 Rotationを設定する
→ X:90 Y:0 Z:0

3 Scaleを設定する
→ X:1 Y:1 Z:1

step 3 「GoalSpot」の強さなどを調整する

Hierarchyウィンドウで
「GoalSpot」を選択しておく

1 Rangeを設定する
→ 50

2 Spot Angleを設定する
→ 25

3 Colorを設定する
→赤

Colorをクリックすると表示される
「Color」ウィンドウで色を選択します。

4 Intensityを設定する
→ 3

ゲームを実行して、ゴール地点がどのように表示されるか確認しましょう。

fig ● ゴール地点にもスポットライトが設定された！

1 プレイをクリックする

ゲームの動作が確認できた
ら、再度プレイをクリック
して実行を停止しておきま
しょう。

4 「Point Light」を追加する

　「Point Light」とは、電球のように、特定の光源から放射状に周りを照らすライトの機能で
す。部屋の照明から洞窟のたいまつまで幅広く応用ができるのでとても便利な反面、処理が重
いので多用するとスマートフォンで動作が重くなってしまうデメリットもあります。
　今回はポイントライトを2つステージ上に配置していきます。

step 1 「Point Light」を追加する

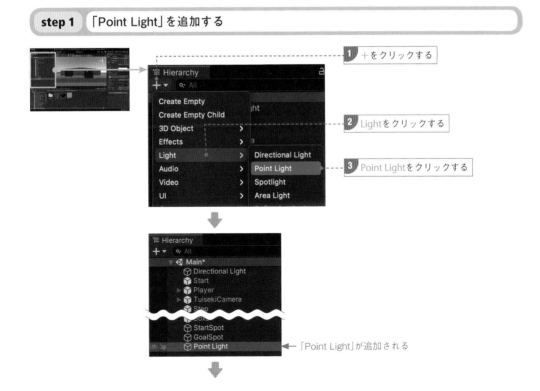

1 ＋をクリックする

2 Lightをクリックする

3 Point Lightをクリックする

「Point Light」が追加される

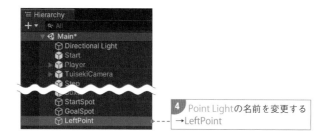

4 Point Lightの名前を変更する
→LeftPoint

step 2 「LeftPoint」の位置、角度、大きさを設定する

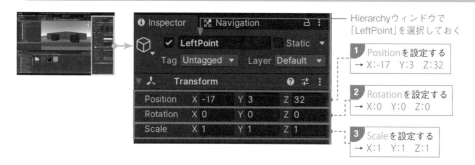

Hierarchyウィンドウで
「LeftPoint」を選択しておく

1 Positionを設定する
→ X:-17 Y:3 Z:32

2 Rotationを設定する
→ X:0 Y:0 Z:0

3 Scaleを設定する
→ X:1 Y:1 Z:1

step 3 「LeftPoint」の強さなどを調整する

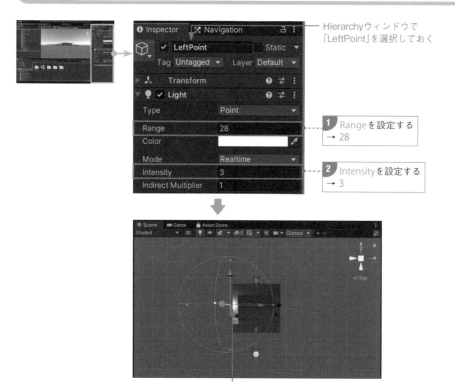

Hierarchyウィンドウで
「LeftPoint」を選択しておく

1 Rangeを設定する
→ 28

2 Intensityを設定する
→ 3

LeftPoint

step 4　「RightPoint」を追加する

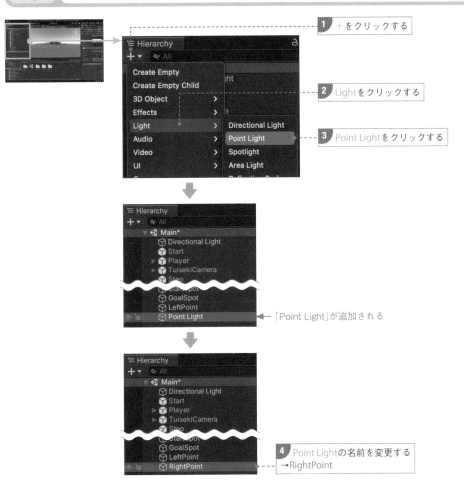

1 ＋ をクリックする

2 Light をクリックする

3 Point Light をクリックする

「Point Light」が追加される

4 Point Light の名前を変更する
→RightPoint

step 5　「RightPoint」の位置、角度、大きさを設定する

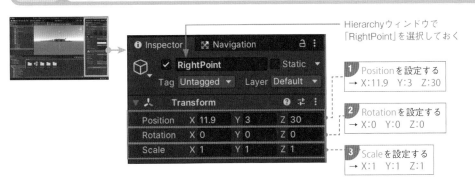

Hierarchyウィンドウで
「RightPoint」を選択しておく

1 Position を設定する
→ X:11.9　Y:3　Z:30

2 Rotation を設定する
→ X:0　Y:0　Z:0

3 Scale を設定する
→ X:1　Y:1　Z:1

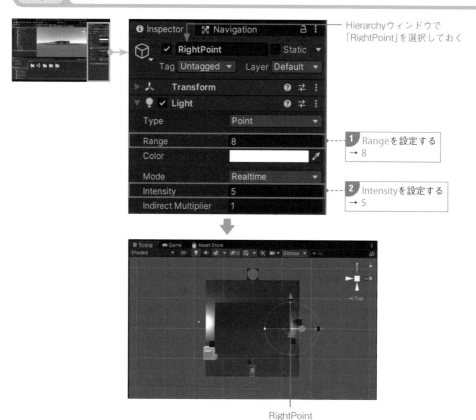

Hierarchyウィンドウで
「RightPoint」を選択しておく

1　Rangeを設定する
→ 8

2　Intensityを設定する
→ 5

RightPoint

　だんだんとステージがリアルになってきました。ですが、これでもまだゲームらしくはありません。まだ足りないもの、それは「ルール」です。次からは、ゲームにルールを組み込んでいきます。

fig ● プレイヤーとステージが完成！

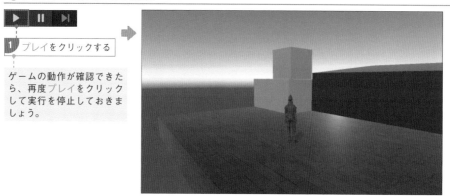

1　プレイをクリックする

ゲームの動作が確認できたら、再度プレイをクリックして実行を停止しておきましょう。

▷ エフェクトを使ってみよう

「Standard Assets」には、ゲームの演出に利用できるエフェクトも収録されています。Projectウィンドウの「Assets」フォルダーから Standard Assets→ ParticleSystems→ Prefabsと辿った先に、エフェクトのプレハブが収録されています。

収録されたエフェクトはHierarchyウィンドウにドラッグ＆ドロップするだけで、シーン上に配置することができます。ぜひ、試してみてください。

fig ● 「Standard Assets → ParticleSystems → Prefabs」フォルダー

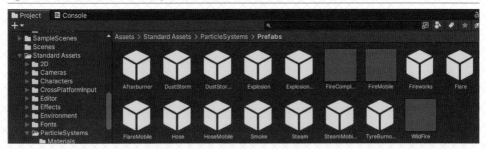

6-09 落下判定の処理を作ろう！

　ここからは、ゲームに「ルール」を組み込んでいきます。これまで作ってきたゲームは、障害物を避けて移動することはできますが、終わりがなく、目的もありません。いくつかルールを設けてみましょう。

　障害物走ゲームを作ることが目的ですので、**ゴールと時間という要素**が必要ですね。また、いかに速く走るかといったゲームになるので、**最速記録という要素**も入れましょう。さらに、**ステージから落下してしまった場合は最初からやり直す**ようにしましょう。これらの処理を1つずつ作っていきます。

　まずは、「プレイヤーがステージから落下した時の処理」から作っていきましょう。

1　ステージから落ちたら最初の位置に戻る

　現在の状態では、プレイヤーがステージを踏み外した場合、どこまでも落下し続けてゲームは進行不能状態となります。一度ゲームを停止してから再度実行しなければ何もできません。このままでは不親切なゲームになってしまいますので、ステージから落ちた場合はプレイヤーを最初の位置に戻すようにしましょう。

　方法としては、床より下の位置に**落下判定エリア**を用意して、そのエリアに触れたらゲームをリスタートします。

fig ● 落下判定の処理

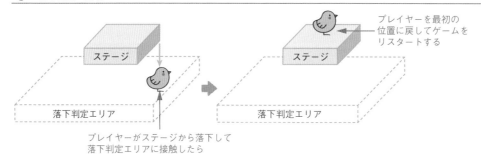

2 落下判定エリアを作る

ある空間に入る（あるいは接触する）ことを判定する処理は、Unityに最初から用意されているプリミティブ素材「Cube」を使用することでとても簡単に実現できます。

今回はステージの下に落下判定エリアを作成して、その中にプレイヤーが入ってしまったら落下と判断するギミックを作成していきます。まずは、判定エリアを作りましょう。

step 1 「OutArea」を作成する

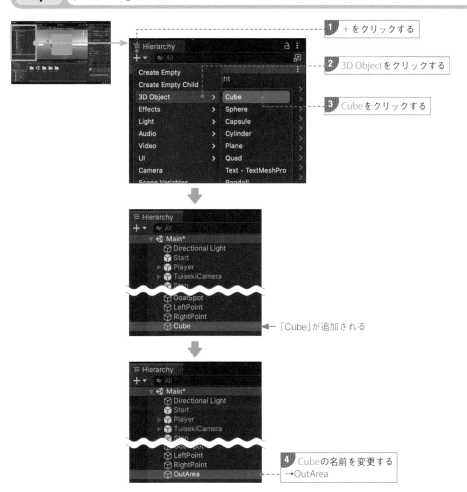

1 ＋をクリックする

2 3D Objectをクリックする

3 Cubeをクリックする

←「Cube」が追加される

4 Cubeの名前を変更する
→OutArea

Chapter 6　3Dゲームを作ってみよう！

step 2 「OutArea」の位置、角度、大きさを設定する

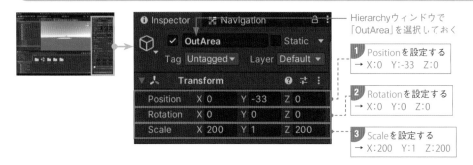

Hierarchyウィンドウで
「OutArea」を選択しておく

1 Positionを設定する
→ X:0　Y:-33　Z:0

2 Rotationを設定する
→ X:0　Y:0　Z:0

3 Scaleを設定する
→ X:200　Y:1　Z:200

　「OutArea」はステージの床よりも下の位置に設定します。また、どこから落下した場合でも対応できるように大きさを調整しましょう。大きすぎるくらいで大丈夫です。

fig ● 落下判定エリアが配置された！

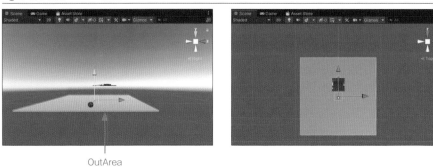

OutArea

3 「OutArea」を非表示にする

　落下判定エリアは、これまで作成したオブジェクトのように画面上に表示されている必要はないので、非表示（画面に描画されないよう）にします。
　ゲーム画面に表示されているオブジェクトは、基本的には「Mesh Renderer」というコンポーネントが設定されています。オブジェクトを非表示にする場合は、このコンポーネントを削除します。

step 1 「Mesh Renderer」を削除する

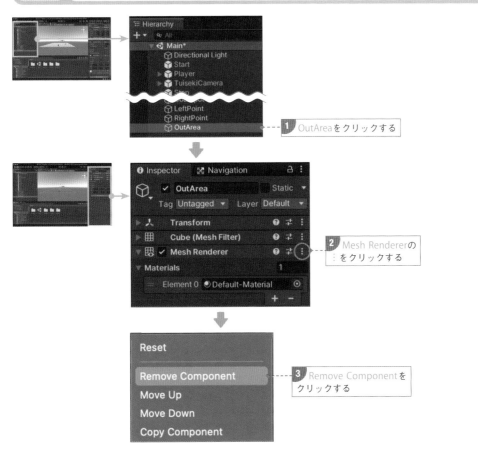

1 OutAreaをクリックする

2 Mesh Rendererの ⋮ をクリックする

3 Remove Componentをクリックする

fig ● 「OutArea」が非表示になった！

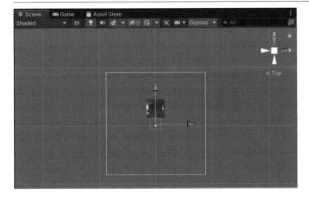

▷ コンポーネントを無効化する

ここでは、Mesh Rendererコンポーネントを削除することでオブジェクトを非表示にしました。ですが、非表示にしたオブジェクトを再度表示したい、というケースもあると思います。その場合は、削除でなく無効化を行います。

Inspectorウィンドウの各コンポーネントの名前の左側にチェックボックスがあります。ここがチェックされていると、そのコンポーネントは有効となります。したがって、このチェックを外すだけで、そのコンポーネントは無効化されます。

fig ● コンポーネントを無効化する

4 「OutArea」をエリア化する

「OutArea」にプレイヤーが接触したら、プレイヤーをスタート地点に戻してゲームをリスタートする機能を作成していきます。このような機能を実現するためには、スクリプトで「当たり判定」の処理を作成します。

通常、オブジェクト同士が接触したかどうかの判定（当たり判定）は、Unityがオブジェクトに設定されたコライダー（Collider）というコンポーネントを監視して自動的に行っています。プレイヤーが床の上に立つことができ、勝手に落下することがないのはこの機能が正常に動作しているからです。今回作る判定エリアのように自動的に接触判定を行ってほしくはないものの、エリアの中に何者かが進入したかどうかの当たり判定を行う場合は、コライダーのコンポーネントのIs Triggerにチェックを入れます。こうすることで、自動的に行われる衝突処理を停止して、かわりに当たり判定領域に何者かが触れた際にどういった振るまいにするかをスクリプトで設定することができるようになります。

ゲームを実行して確認してみましょう。「OutArea」のBox ColliderコンポーネントのIs Triggerをチェックしていない状態では、Unityが「OutArea」のコライダーを監視して当たり判定を行うので、プレイヤーは判定エリアの上に乗ることができてしまいます。Is Triggerにチェックを入れると「OutArea」は空間としての当たり判定に切り替わるため、プレイヤーはどこまでも落下していきます。ですが、プレイヤーが「OutArea」の空間に触れた瞬間をスクリプトで検知できるようになっています。

fig ⬤ エリアの当たり判定

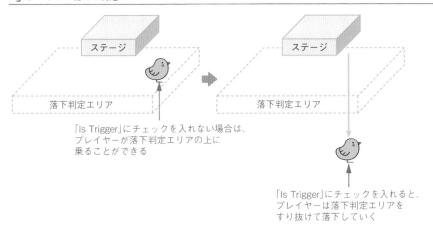

ステージ

落下判定エリア

「Is Trigger」にチェックを入れない場合は、
プレイヤーが落下判定エリアの上に
乗ることができる

ステージ

落下判定エリア

「Is Trigger」にチェックを入れると、
プレイヤーは落下判定エリアを
すり抜けて落下していく

step 1 「OutArea」をエリア化する

1 OutAreaをクリックする

2 Is Triggerをチェックする

5 落下判定エリアの処理を作る

　無事に落下判定エリアを作成できたら、次は**落下判定エリアとキャラクターが接触した場合にゲームをリスタートする**機能をスクリプトで作成しましょう。スクリプトは「Assets」フォルダーに作成します。

step 1 スクリプトを追加する

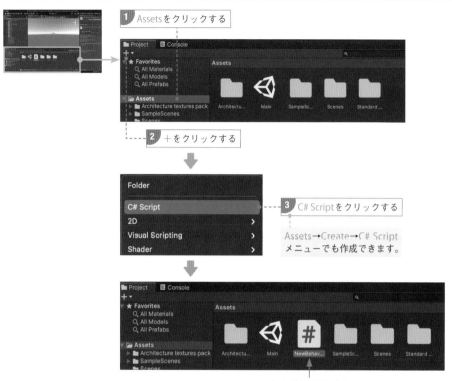

1 Assetsをクリックする

2 +をクリックする

Folder

C# Script

2D

Visual Scripting

Shader

3 C# Scriptをクリックする

Assets→Create→C# Script
メニューでも作成できます。

スクリプトが追加される

step 2 スクリプトの名前を変更する

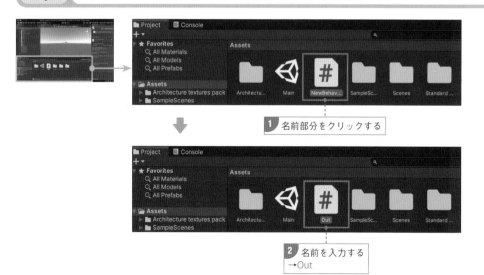

1 名前部分をクリックする

2 名前を入力する
→Out

step 3　スクリプトを記述する

1 Outをダブルクリックする

2 スクリプトを記述する

3 ファイルをクリックする

Windowsではファイル→○○の保存を
クリックします（○○はファイル名）。

4 保存 をクリックする

script Out.cs　落下判定エリアに接触したらスタート地点に戻す

```
1    using System.Collections;
2    using System.Collections.Generic;
3    using UnityEngine;
4    using UnityEngine.SceneManagement;                              ❶
5
6    public class Out : MonoBehaviour
7    {
8        void OnTriggerEnter(Collider other)
9        {
10            if (other.gameObject.tag == "Player")                   ❷
11            {
```

```
12              SceneManager.LoadScene(
13                  SceneManager.GetActiveScene().name);          ❸
14          }
15      }
16  }
```
Unity2021Sample/Script/Chapter6/Text/Out.txt

❗ 落下判定エリアの処理

　落下判定エリアに必要な処理は、「落下判定エリアに入ってきたオブジェクトがプレイヤーであると確認する」と「ゲームをリスタートする」の2つです。これだけであれば、とても簡単なスクリプトで作成できます。

❶ライブラリの宣言

　ゲームのリスタートなどシーン関係の操作をする場合は、「UnityEngine.SceneManagement」というライブラリを使います。その機能を利用するために、"using"で宣言しています。

```
4    using UnityEngine.SceneManagement;
```

❷当たり判定の処理

　"OnTriggerEnter"は何者かが自分（判定エリア）に接触した際にUnityから自動的に実行されます。実行されるタイミングは、コライダーのIs Triggerにチェックを入れたオブジェクトに接触元のコライダーが触れた瞬間です。ここでは、「Player」タグが設定されているオブジェクトが接触した場合に処理を実行しています（タグの設定は237ページで行っています）。

```
8       void OnTriggerEnter(Collider other)
9       {
10          if (other.gameObject.tag == "Player")
11          {
```

❸リセットの処理

　"SceneManager.GetActiveScene().name"は、現在のシーンの名前を意味します。これをシーンを移動する命令"SceneManager.LoadScene()"に指定することで、現在のシーンを読み直してゲームをやり直すことができます。SceneManager.LoadSceneに特定のシーン名を指定すれば、そのシーンに移動することができます。

```
12              SceneManager.LoadScene(
13                  SceneManager.GetActiveScene().name);
```

6　スクリプトを落下判定エリアにアタッチする

Projectウィンドウの「Out」スクリプトを、Hierarchyウィンドウの「OutArea」にドラッグ＆ドロップします。

step 1　スクリプトを判定エリアにアタッチする

1 Outをクリックする

2 ProjectウィンドウのOutをHierarchyウィンドウのOutAreaにドラッグ＆ドロップする

これで落下判定の処理は完成です。ゲームを実行して確認してみましょう。

fig ◍ 落下判定の処理が完成した！

1 プレイをクリックする

ゲームの動作が確認できたら、再度プレイをクリックして実行を停止しておきましょう。

▷ スクリプトの追加とアタッチを一度に行う

　スクリプトを作成する際は、「Projectウィンドウに追加」→「記述」→「オブジェクトにアタッチ」という順番で行ってきました。その作業を短縮して、最初からオブジェクトにアタッチした状態でスクリプトを作成する方法があります。

　Hierarchyウィンドウでスクリプトを設定するオブジェクトを選択し、InspectorウィンドウのAdd Componentボタンをクリックします。表示されるドロップダウンリストからNew Scriptを選択するとスクリプトの名前を設定する画面が開くので、そこから追加を行います。

fig ● アタッチしながら追加する

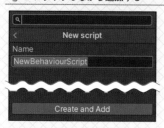

▷ リスタートすると画面が暗くなる

　Unity 2021では、ゲームをリスタートした際にライトが正しく反映されずに、画面が暗く表示されてしまう現象が確認されています（2021年6月現在）。Window→Rendering→Lightingで表示されるLightingウィンドウのGenerate Lightingをクリックすることで、リスタート時のライトの不具合を解決することができます。

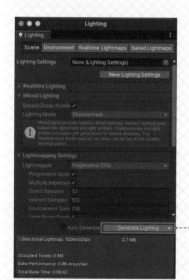

------ Generate Lightingをクリックする

6-10 ステージのゴールを作ろう！

障害物走にはゴールが必要です。作り方は落下処理の判定エリアと同様に、ゴール判定エリアを用意して、ゴール機能をスクリプトで作成します。

1 ゴール判定エリアを作る

ゴール判定用のエリア「GoalArea」を作成します。「Cube」を使って作成し、ゴールの床（Goal）を覆うように非表示で配置します。

step 1 「GoalArea」を追加する

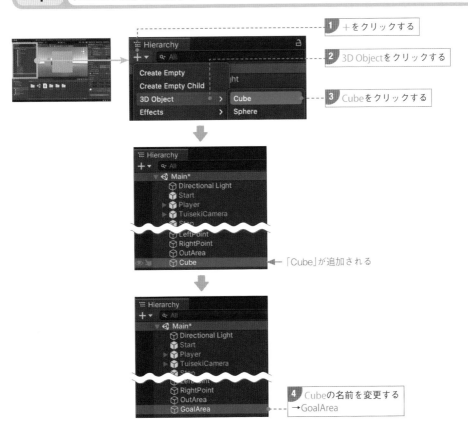

1 ＋をクリックする

2 3D Objectをクリックする

3 Cubeをクリックする

←「Cube」が追加される

4 Cubeの名前を変更する
→GoalArea

step 2 「GoalArea」の位置、角度、大きさを設定する

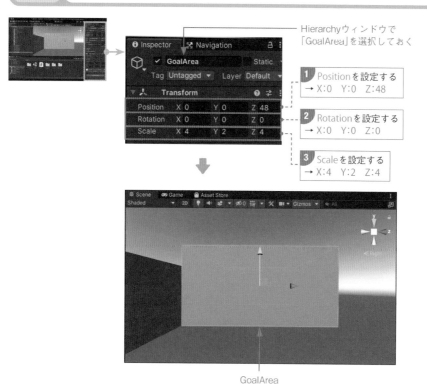

Hierarchyウィンドウで
「GoalArea」を選択しておく

1 Positionを設定する
→ X:0　Y:0　Z:48

2 Rotationを設定する
→ X:0　Y:0　Z:0

3 Scaleを設定する
→ X:4　Y:2　Z:4

GoalArea

step 3 「GoalArea」を非表示にする

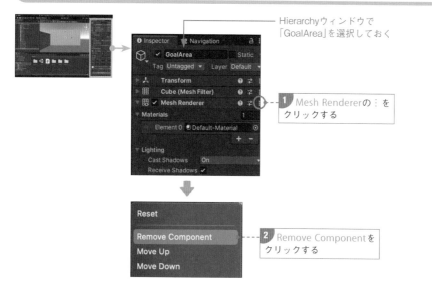

Hierarchyウィンドウで
「GoalArea」を選択しておく

1 Mesh Rendererの : を
クリックする

2 Remove Componentを
クリックする

step 4 ┃ 「GoalArea」をエリア化する

Hierarchyウィンドウで「GoalArea」を選択しておく

1 Is Triggerをチェックする

fig ● 「GoalArea」が配置された！

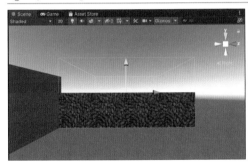
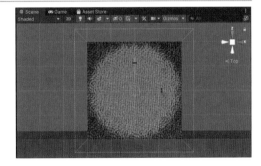

2 ゴール判定エリアの処理を作る

　ゴール処理のスクリプトを作成しましょう。ゴール処理に必要なのは、「ゴールエリアとプレイヤーの当たり判定」と「ゴールしているかしていないかを判断するフラグ」です。

step 1 ┃ スクリプトを追加する

1 ＋をクリックする

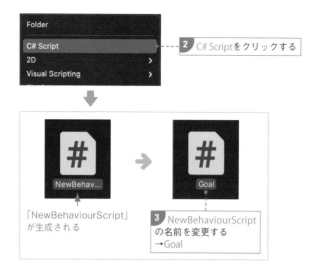

「NewBehaviourScript」が生成される

2 C# Scriptをクリックする

3 NewBehaviourScriptの名前を変更する
→Goal

step 2 スクリプトを記述する

1 Goalをダブルクリックする

2 スクリプトを記述する

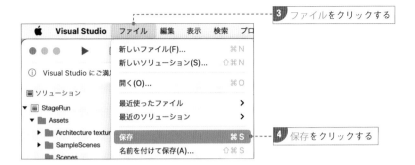

3 ファイルをクリックする

4 保存をクリックする

script Goal.cs　ゴールエリアにプレイヤーが接触した時の処理

```csharp
1    using System.Collections;
2    using System.Collections.Generic;
3    using UnityEngine;
4
5    public class Goal : MonoBehaviour
6    {
7        public static bool goal;                              ❶
8
9        // Start is called before the first frame update
10       void Start()
11       {
12           goal = false;                                      ❷
13       }
14
15       void OnTriggerEnter(Collider other)
16       {
17           if (other.gameObject.tag == "Player")
18           {
19               goal = true;                                   ❸
20           }
21       }
22   }
```
Unity2021Sample/Script/Chapter6/Text/Goal.txt

Chapter 6
3Dゲームを作ってみよう！

ゴールの処理

このスクリプトは、次のような処理を行っています。

❶ゴール判定用の変数の宣言

最初に、ゴール判定用の変数 "goal" を宣言します。"public static" として宣言した変数は、別のスクリプトから参照できるようになります。goal が「true」の場合は、ゴールしたと判定されます。

こうすることで、ゴールしたら画面上に「Goal!!」と文字を表示したいとなった場合に、別のスクリプトから goal が「true」かどうかを確認することができます。

```
7        public static bool goal;
```

❷ ゲーム開始時の処理

Start 関数内で、ゲーム開始時の最初の処理を行います。変数 goal の値を「false」にしています。これは、まだゴールしていない状態を意味します。

```
10       void Start()
11       {
12           goal = false;
13       }
```

❸ ゴールエリアに接触した時の処理

"OnTriggerEnter" でスクリプトが設定されているオブジェクト (GoalArea) と「Player」タグが設定されたオブジェクト (ここではプレイヤー) が接触した時に、変数 goal の値を「true」にしています。これはゴールしている状態を意味します。

ここでは変数 goal の値を「true」にするだけで、まだ画面上に特に変化はありません。今後作成していく機能の中で、プレイヤーがゴールした時に実行する処理を作っていきます。

```
15       void OnTriggerEnter(Collider other)
16       {
17           if (other.gameObject.tag == "Player")
18           {
19               goal = true;
20           }
21       }
```

3 スクリプトをゴール判定エリアにアタッチする

Project ウィンドウの「Goal」スクリプトを、Hierarchy ウィンドウの「GoalArea」にドラッグ & ドロップします。

step 1 スクリプトをゴールエリアにアタッチする

1 Goal をクリックする

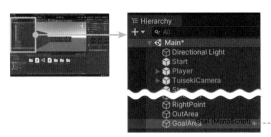

2 ProjectウィンドウのGoalをHierarchyウィンドウの GoalAreaにドラッグ＆ドロップする

4　Hierarchyウィンドウを整理する

　ここまででゴールエリアまでが完成しました。Hierarchyウィンドウに登録されるオブジェクトの数も増えてきたので、ここで一度整理しておきましょう。

　「空のオブジェクト」を追加して「Stage」「Box」「Light」オブジェクトを作り、オブジェクトを親子化してまとめます。ここでは以下のようにまとめています。

table ● オブジェクトをまとめる

Stage	Start	Step	Floor	Goal	House
Box	Box1	Box2	Box3	Box4	Box5
Light	StartSpot	GoalSpot	LeftPoint	RightPoint	

　以下は、「Stage」オブジェクトの例です。同様の手順で「Box」「Light」も空オブジェクトを追加して親子関係を設定しましょう。

step 1　「Stage」を追加する

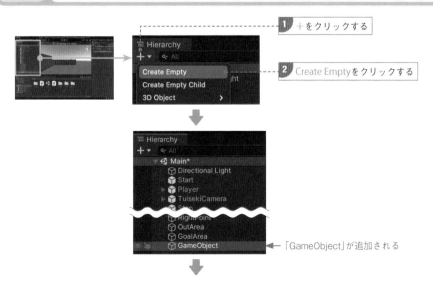

1 +をクリックする

2 Create Emptyをクリックする

「GameObject」が追加される

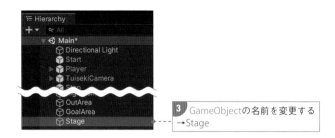

3 GameObjectの名前を変更する
→Stage

step 2 「Stage」の位置を設定する

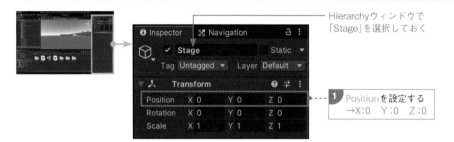

Hierarchyウィンドウで
「Stage」を選択しておく

1 Positionを設定する
→X:0　Y:0　Z:0

step 3 親子関係を設定する

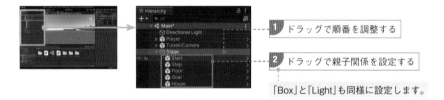

1 ドラッグで順番を調整する

2 ドラッグで親子関係を設定する

「Box」と「Light」も同様に設定します。

　　　ここまでのHierarchyウィンドウの状態は、以下のようになります。

fig ● Hierarchyウィンドウの状態

6-11 タイマー機能を作ろう！

ゴールまでの時間を競うゲームなので、スタートしてからの経過時間をプレイヤーに知らせるために、画面に時間（タイマー）を表示しましょう。タイマーはUnityのUIシステムを利用して作ります。

1 タイマーを表示するテキストを追加する

ゲーム画面にタイマーを表示するには、画面にテキストを表示するUIオブジェクト「Text」を追加します。

step 1 「TimerText」を追加する

1 ＋をクリックする

2 UIをクリックする

3 Textをクリックする

Canvasの「子」オブジェクトとして「Text」が生成される

UIオブジェクトは、Hierarchyウィンドウで必ず「Canvas」の「子」オブジェクトになるように配置してください（そうしないと描画されません）。

4 Textの名前を変更する
→TimerText

名前の変更は、オブジェクトを右クリックしてRenameから行います。

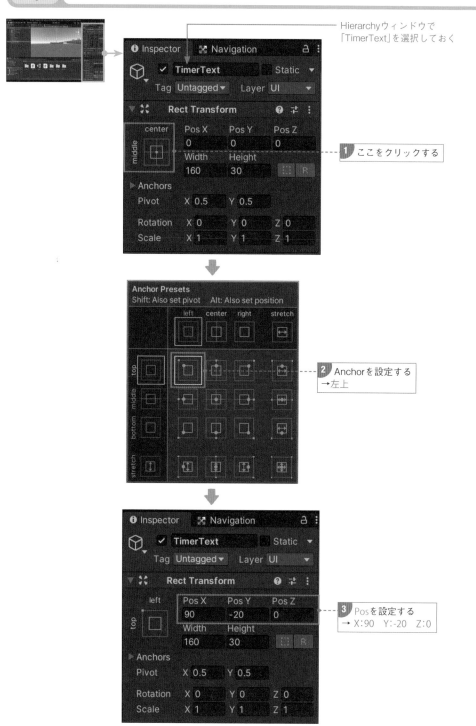

Hierarchyウィンドウで
「TimerText」を選択しておく

1 ここをクリックする

2 Anchorを設定する
→左上

3 Posを設定する
→ X:90　Y:-20　Z:0

step 3 「TimerText」のテキストを設定する

Hierarchyウィンドウで
「TimerText」を選択しておく

1 Textを設定する
→Time:0

2 Font Sizeを設定する
→22

3 Colorを設定する
→赤

　Hierarchyウィンドウで「TimerText」をダブルクリックすると、Sceneビューの中央に「TimerText」が表示されます。**画面の向きを調整して正面から確認**しましょう（シーンギズモのxが右になるように調整します）。Sceneビューが次の画像のように表示されれば成功です。Sceneビューのコントロールバーの2Dをクリックすることでも、同様に表示できます。

　なお、Sceneビューに表示されている白い枠がCanvasの領域になります（詳しくは166ページを参照してください）。

fig ● タイマーのテキストが配置された！

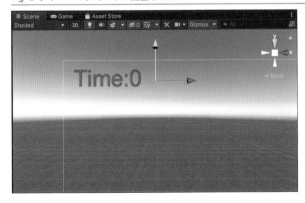

2 タイマー機能を作る

タイマーの時間をカウントするスクリプト「Timer」を作成します。スクリプトでは、「時間の計測」と「TimerTextのテキストの変更」と「ゴール時に時間計測を止める」といった3つの機能を作成します。

---

step 1 スクリプトを追加する

1 ＋をクリックする

2 C# Scriptをクリックする

「NewBehaviourScript」が生成される

3 NewBehaviourScriptの名前を変更する
→Timer

---

step 2 スクリプトを記述する

1 Timerをダブルクリックする

2 スクリプトを記述する

3 ファイルをクリックする

4 保存をクリックする

Chapter 6 3Dゲームを作ってみよう！

script Timer.cs　タイマーをカウントアップする

```
1    using System.Collections;
2    using System.Collections.Generic;
3    using UnityEngine;
4    using UnityEngine.UI;                                          ❶
5
6    public class Timer : MonoBehaviour
7    {
8        public static float time;                                  ❷
9
10       // Start is called before the first frame update
11       void Start()
12       {
13           time = 0;                                              ❸
14       }
15
16       // Update is called once per frame
17       void Update()
18       {
19           if (Goal.goal == false)
20           {
21               time += Time.deltaTime;                            ❹
22           }
```

```
23          int t = Mathf.FloorToInt(time); •————————————————————————❺
24          Text uiText = GetComponent<Text>(); •———————————————————————❻
25          uiText.text = "Time:" + t; •————————————————————————————————❼
26      }
27  }
```
Unity2021Sample/Script/Chapter6/Text/Timer.txt

💡 タイマー機能の処理

このスクリプトは、次のような処理を行っています。

❶ライブラリの宣言

UI システムを利用するために、"using" で「UnityEngine.UI」というライブラリを使用することを宣言しています。

```
4   using UnityEngine.UI;
```

❷経過時間のための変数の宣言

"time" は経過時間を格納する変数です。"public static" にすることで他のスクリプトから参照することができるようになります。

```
8       public static float time;
```

❸ゲーム開始時の処理

ゲーム実行開始時に変数 time を「0」にしています。

```
11      void Start()
12      {
13          time = 0;
14      }
```

❹タイマーの処理

ここでは、「ゴールしていない時はタイマーの処理を実行する」という仕組みにしています。ゴールすると処理が行われなくなり、タイマーが停止します。スクリプト「Goal」の変数 goal が「false」の間はゴールしていない状態なので処理を実行します。

"time += Time.deltaTime" は時間を計測する処理です。変数 time に Time.deltaTime を足していきます。Time.deltaTime は、前回この処理が行われてから今回までに経過した時間です（1.0f = 1 秒）。

```
19          if (Goal.goal == false)
20          {
21              time += Time.deltaTime;
22          }
```

❺ 小数点以下を切り捨てる

"Mathf.FloorToInt (time)" で、Float 型（小数を含む値のこと）の変数 time の小数点以下を切捨てして Int 型（整数の値）に変換しています。

```
23          int t = Mathf.FloorToInt(time);
```

❻「Text」コンポーネントの取得

自分自身（このスクリプトが設定されている「TimerText」オブジェクトのこと）に設定されている「Text」コンポーネントを取得して、変数 uiText に設定しています。

```
24          Text uiText = GetComponent<Text>();
```

❼ テキストの書き換え

変数 uiText に格納した Text コンポーネントの Text の値（text プロパティの値）変更することで、テキストを書き換えながら時間を表示しています。" "Time:" + t;" とすることで、テキスト「Time:」の語尾に変数 t に格納した秒数を連結しています。

```
25          uiText.text = "Time:" + t;
```

---

3 スクリプトをタイマーのテキストにアタッチする

Project ウィンドウの「Timer」スクリプトを、Hierarchy ウィンドウの「TimerText」にドラッグ&ドロップします。

step 1 スクリプトをテキストにアタッチする

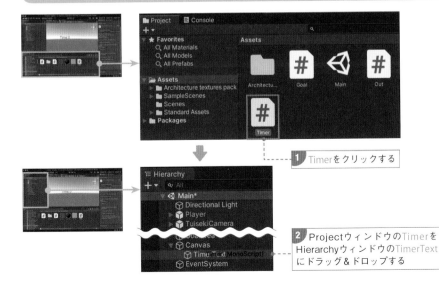

1 Timer をクリックする

2 Project ウィンドウの Timer を Hierarchy ウィンドウの TimerText にドラッグ&ドロップする

299

Chapter 6　3D ゲームを作ってみよう！

スクリプトの作成と設定ができたら、さっそく実行して確認してみましょう。プレイヤーがゴールに到達した時に時間のカウントが停止すれば成功です。

fig ● タイマーが完成した！

1 プレイをクリックする

ゲームの動作が確認できたら、再度プレイをクリックして実行を停止しておきましょう。

6-12 リザルト画面を作ろう！

ゴールに到達したらリザルト（結果）画面を表示するようにしてみましょう。リザルト画面では、「ゴールタイム」「最速記録」ともう一度プレイできるように「リトライボタン」を表示します。また、最速記録では、データを保存する仕組みを使用します。

1 リザルトタイトルのテキストを作る

ゴールしたことを示すタイトル用のテキストを準備しましょう。

step 1 「ResultTime」を作成する

1 ＋をクリックする

2 UIをクリックする

3 Textをクリックする

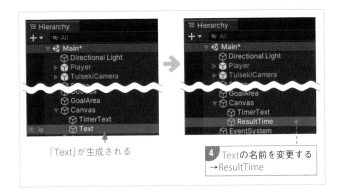

「Text」が生成される

4 Textの名前を変更する
→ResultTime

---

step 2 「ResultTime」の位置と大きさを設定する

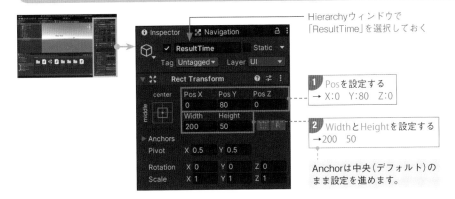

Hierarchyウィンドウで
「ResultTime」を選択しておく

1 Posを設定する
→ X:0 Y:80 Z:0

2 WidthとHeightを設定する
→200 50

Anchorは中央(デフォルト)の
まま設定を進めます。

---

step 3 「ResultTime」のテキストを設定する

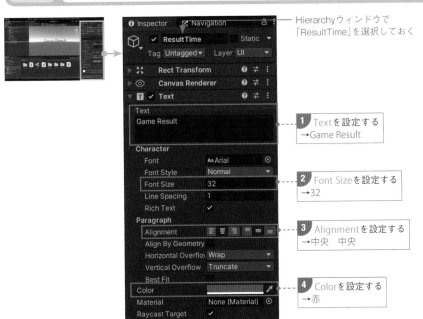

Hierarchyウィンドウで
「ResultTime」を選択しておく

1 Textを設定する
→Game Result

2 Font Sizeを設定する
→32

3 Alignmentを設定する
→中央 中央

4 Colorを設定する
→赤

301

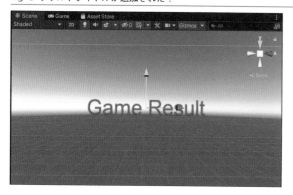

2 ゴールタイムのテキストを作る

ゴールした時のタイムを表示するテキストを作成しましょう。

step 1 「ResultTimeText」を作成する

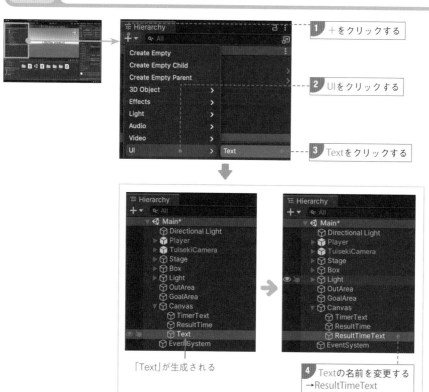

1 ＋をクリックする

2 UIをクリックする

3 Textをクリックする

「Text」が生成される

4 Textの名前を変更する
→ResultTimeText

step 2 「ResultTimeText」の位置と大きさを設定する

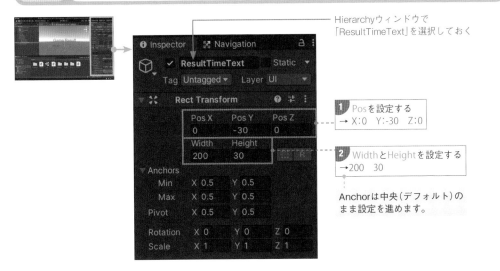

Hierarchyウィンドウで
「ResultTimeText」を選択しておく

1 Posを設定する
→ X:0 Y:-30 Z:0

2 WidthとHeightを設定する
→200 30

Anchorは中央（デフォルト）の
まま設定を進めます。

step 3 「ResultTimeText」のテキストを設定する

Hierarchyウィンドウで
「ResultTimeText」を選択しておく

1 Textを設定する
→ResultTime：0

2 Font Sizeを設定する
→24

3 Alignmentを設定する
→中央 中央

4 Colorを設定する
→水色

fig ● ゴールタイムのテキストが追加された！

3 ハイスコア（最速記録）のテキストを作る

ハイスコアを表示するテキストを作成します。ゴールした時のタイムがこれまでの最速記録を上回る場合は、そのタイムをハイスコアとして表示します。

step 1 「BestTimeText」を追加する

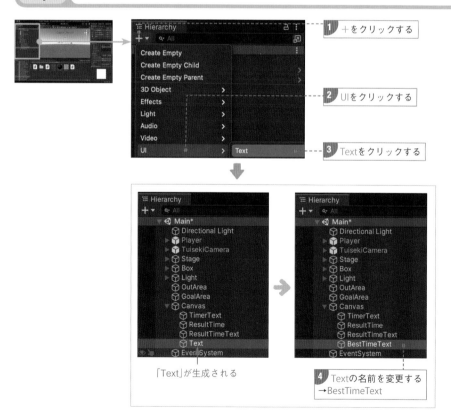

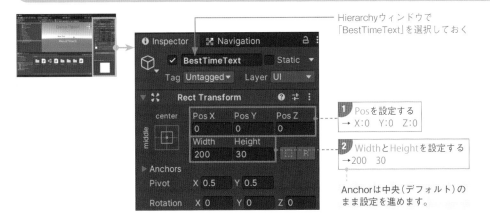

step 2 「BestTimeText」の位置と大きさを設定する

Hierarchyウィンドウで
「BestTimeText」を選択しておく

1 Posを設定する
→ X:0　Y:0　Z:0

2 WidthとHeightを設定する
→200　30

Anchorは中央(デフォルト)の
まま設定を進めます。

step 3 「BestTimeText」のテキストを設定する

Hierarchyウィンドウで
「BestTimeText」を選択しておく

1 Textを設定する
→BestTime:0

2 Font Sizeを設定する
→24

3 Alignmentを設定する
→中央　中央

4 Colorを設定する
→黄色

　Gameビューに切り替えて、どのように表示されるか確認してみましょう。なお、使用する
パソコンの画面の解像度などによって、テキストの大きさや位置が異って見える場合がありま
す。その場合は、見やすい大きさや位置になるように調整してください。

fig ● Gameビューで表示を確認する

4 リトライボタンを作る

リザルトが表示されている状態から、ゲームをリスタートするためのボタンを作成します。
ボタンはUIオブジェクトの「Button」で作ります。

step 1 「RetryButton」を追加する

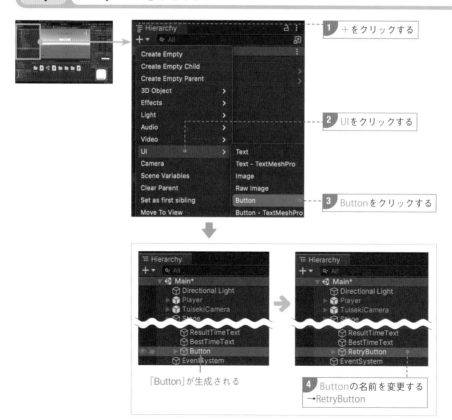

step 2 「RetryButton」の位置と大きさを設定する

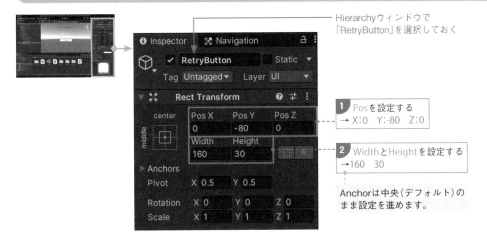

Hierarchyウィンドウで
「RetryButton」を選択しておく

1 Posを設定する
→ X:0　Y:-80　Z:0

2 WidthとHeightを設定する
→160　30

Anchorは中央（デフォルト）の
まま設定を進めます。

step 3 「RetryButton」のテキストを設定する

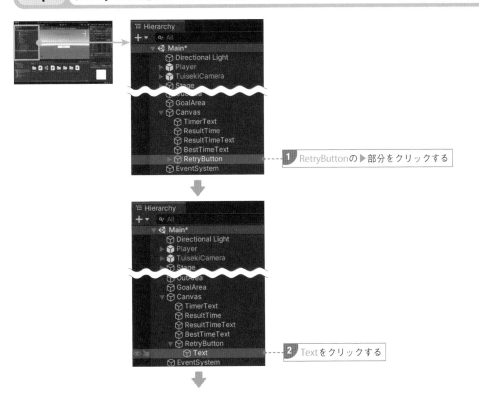

1 RetryButtonの▶部分をクリックする

2 Textをクリックする

3 Textを設定する
→Retry？

4 Font Sizeを設定する
→14

5 Alignmentを設定する
→中央　中央

6 Colorを設定する
→黒

リスタート用のボタンも作成できました。Gameビューで確認しておきましょう。

fig ● リトライボタンが追加された！

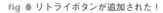

5 リザルトを非表示にする

　ここまで作成したリザルト用のテキストやボタンは、**ゲームを開始してからゴールするまでの間は画面に表示されないようにしておき**、**ゴール時にスクリプトから表示**できるようにしましょう。

　リザルト用のUIオブジェクトをまとめて管理するために、「空のオブジェクト」を作成しましょう。リザルトの各要素をその「子」オブジェクトにすることで、移動や表示といった操作をまとめて行うことができるようになります（空のオブジェクトでオブジェクトをまとめる方法については292ページを参照してください）。

> ### step 1 「Result」を作成する

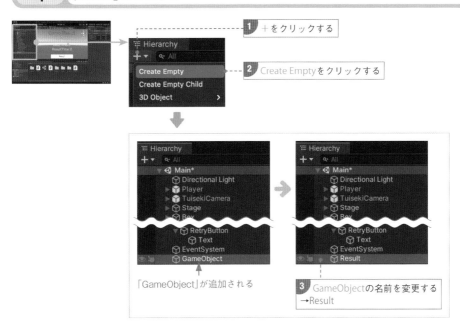

1 +をクリックする

2 Create Emptyをクリックする

「GameObject」が追加される

3 GameObjectの名前を変更する →Result

> ### step 2 「Result」の位置、角度、大きさを設定する

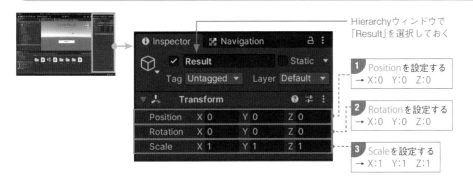

Hierarchyウィンドウで「Result」を選択しておく

1 Positionを設定する → X:0 Y:0 Z:0

2 Rotationを設定する → X:0 Y:0 Z:0

3 Scaleを設定する → X:1 Y:1 Z:1

Chapter 6　3Dゲームを作ってみよう！

309

step 3 親子関係を設定する

1. ResultをCanvasの「子」オブジェクトにする

2. ResultTime、ResultTimeText、BestTimeText、RetryButtonをResultの「子」オブジェクトにする

step 4 「Result」を非表示にする

Hierarchyウィンドウで「Result」を選択しておく

1. ここのチェックを外す

---

6 リザルト機能を作る

リザルトを表示する機能のスクリプトを作成しましょう。スクリプトはUIを束ねる「Canvas」オブジェクトにアタッチします。

step 1 スクリプトを追加する

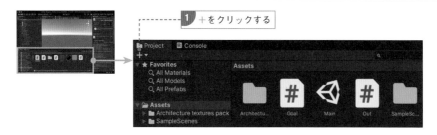

1. ＋をクリックする

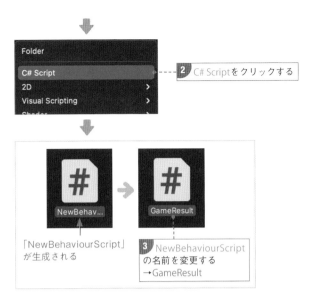

Folder

C# Script ──── 2 C# Scriptをクリックする

2D

Visual Scripting

Shader

NewBehav... → GameResult

「NewBehaviourScript」
が生成される

3 NewBehaviourScript
の名前を変更する
→GameResult

step 2　スクリプトを記述する

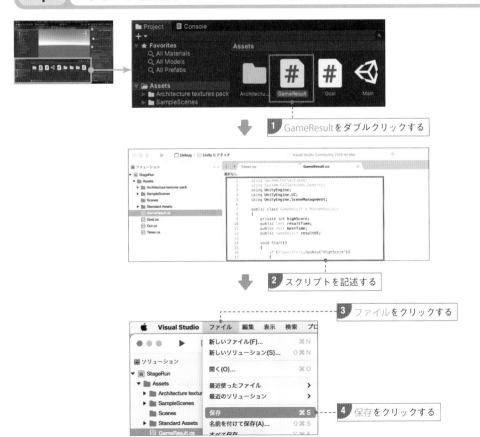

1 GameResultをダブルクリックする

2 スクリプトを記述する

3 ファイルをクリックする

4 保存をクリックする

```
1    using System.Collections;
2    using System.Collections.Generic;
3    using UnityEngine;
4    using UnityEngine.UI;                              ──────────────①
5    using UnityEngine.SceneManagement;
6
7    public class GameResult : MonoBehaviour
8    {
9        private int highScore;  ●──────────────────────────────②
10       public Text resultTime;
11       public Text bestTime;                          ──────────③
12       public GameObject resultUI;
13
14       void Start()
15       {
16           if (PlayerPrefs.HasKey("HighScore"))
17           {
18               highScore = PlayerPrefs.GetInt("HighScore");
19           }
20           else                                      ●──────────④
21           {
22               highScore = 999;
23           }
24       }
25
26       void Update()
27       {
28           if (Goal.goal)                            ●──────────⑤
29           {
30               resultUI.SetActive(true);  ●─────────────────────⑥
31               int result = Mathf.FloorToInt(Timer.time);  ●────⑦
32               resultTime.text = "ResultTime:" + result;
33               bestTime.text = "BestTime:" + highScore;  ──────⑧
34
35               if (highScore > result)
36               {
37                   PlayerPrefs.SetInt("HighScore", result);  ●──⑨
38               }
39           }
40       }
41
42       public void OnRetry()
43       {
44           SceneManager.LoadScene(
45               SceneManager.GetActiveScene().name);   ●─────────⑩
46       }
47   }
```

Unity2021Sample/Script/Chapter6/Text/GameResult.txt

💡 リザルトの処理

このスクリプトは、次のような処理を行っています。

❶ ライブラリの宣言

UIシステムを利用できるように、ライブラリ「UnityEngine.UI」を宣言します。また、シーンの読み込みを行うために、シーン操作用のライブラリ「UnityEngine.SceneManagement」も利用できるようにしておきます。

```
4    using UnityEngine.UI;
5    using UnityEngine.SceneManagement;
```

❷ ハイスコア用の変数の宣言

ハイスコアとして使用する変数 "highScore" を宣言します。highScore は GameResult スクリプト内だけで使用するので "private" として宣言します。private にすると、Inspector ウィンドウにパラメータとして表示されなくなり、スクリプト内だけで設定可能な変数になります。

```
9        private int highScore;
```

❸ リザルトUIオブジェクトの変数の宣言

リザルトUIの各オブジェクト用の変数を宣言します。それぞれ、「リザルトタイムのテキスト」「ハイスコアのテキスト」「リザルト機能をまとめた空のオブジェクト」を格納します。後ほど、Inspector ウィンドウでオブジェクトをアタッチします。

```
10        public Text resultTime;
11        public Text bestTime;
12        public GameObject resultUI;
```

❹ ハイスコアの設定

ゲーム開始時に、Start 関数内でハイスコア用の変数 highScore に初期値を設定しています。

「PlayerPrefs」はデータのセーブを行ってくれるクラスです。"PlayerPrefs.HasKey("HighScore")" とすることで、セーブデータに HighScore という項目があるかどうかを判定できます。存在する場合は、変数 highScore にその値を格納します。"GetInt" は Int（整数）型の値を取得します。HighScore がない場合は「999」を格納します。

```
14        void Start()
15        {
16            if (PlayerPrefs.HasKey("HighScore"))
17            {
18                highScore = PlayerPrefs.GetInt("HighScore");
19            }
20            else
21            {
22                highScore = 999;
23            }
24        }
```

❺ ゴールした時に処理を実行する

ゴール判定のスクリプト（Goal）の変数 goal が「true」の場合（ゴールした場合）に処理を実行します。

```
26        void Update()
27        {
28            if (Goal.goal)
```

❻ UIオブジェクトを表示する

変数 resultUI に格納したオブジェクトを有効にして、画面上に表示されるようにします。"SetActive" は、オブジェクトの有効・無効を切り替えます。無効になっていることで表示されていないオブジェクトはこの機能で表示されるようになります。

```
30            resultUI.SetActive(true);
```

❼ タイマーの値を取得する

タイマー機能のスクリプト Timer の変数 time の値を、Int 型（整数）に変換して格納します。"Mathf.FloorToInt" で小数点以下を切り捨てられます。Time.time という似た名前の機能と間違えないようにしてください。

```
31            int result = Mathf.FloorToInt(Timer.time);
```

❽ ゴールタイムとハイスコアの設定

ゴールタイムとハイスコアの UI オブジェクトの Text コンポーネントの text の値に、ゴールタイムの文字と最速タイムの文字を設定しています。

```
32            resultTime.text = "ResultTime:" + result;
33            bestTime.text = "BestTime:" + highScore;
```

❾ ハイスコアを書き換える

変数 highScore（過去のベストタイム）よりも変数 result（今回の結果タイム）の方が小さい場合、セーブデータの HighScore を result の値に書き換えます。"SetInt" は int 型（整数）の値をセーブデータとして保存してくれます。

```
35            if (highScore > result)
36            {
37                PlayerPrefs.SetInt("HighScore", result);
38            }
```

⑩リトライボタンの処理

リトライボタンが押された時に、現在のシーンを呼び出してゲームを再開しています。関数名に
publicを付けると、他のスクリプトからも機能が使えるようになります。付け忘れると後記のボタンク
リック時の設定でこの機能が使えなくなるので、必ず指定してください。

```
42        public void OnRetry()
43        {
44            SceneManager.LoadScene(
45                SceneManager.GetActiveScene().name);
46        }
```

7 スクリプトを「Canvas」にアタッチする

Projectウィンドウの「GameResult」スクリプトを、Hierarchyウィンドウの「Canvas」にド
ラッグ＆ドロップします。

step 1 スクリプトを「Canvas」にアタッチする

1 GameResultをクリックする

2 ProjectウィンドウのGameResult
をHierarchyウィンドウのCanvasに
ドラッグ＆ドロップする

8 オブジェクトを設定する

最後に、GameResultの変数にUIオブジェクトを設定しましょう。変数はパラメータ化して
いるので、Inspectorウィンドウから設定可能です。

1 Canvasをクリックする

2 Hierarchyウィンドウの
ResultTimeTextをResult Time
にドラッグ＆ドロップする

3 Hierarchyウィンドウの
BestTimeTextをBest Timeに
ドラッグ＆ドロップする

4 Hierarchyウィンドウの
ResultをResult UIにドラッグ
＆ドロップする

9 ボタンイベントを設定する

　UIオブジェクトの「Button」は、ボタンが押された場合にどのような処理を行うのかといった振る舞いを設定することができます（ボタンのクリックについては、184ページも参照してください）。

　ボタンがクリックされるとスクリプト「GameResult」内で作成した「OnRetry」関数が実行されるようにしましょう。

step 1　イベントとスクリプトを関連付ける

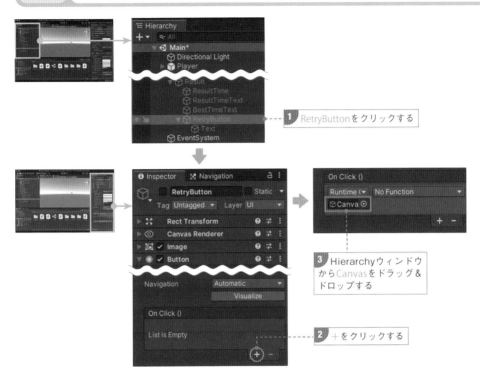

1 RetryButtonをクリックする

3 Hierarchyウィンドウ
からCanvasをドラッグ＆
ドロップする

2 ＋をクリックする

step 2　実行する関数を選択する

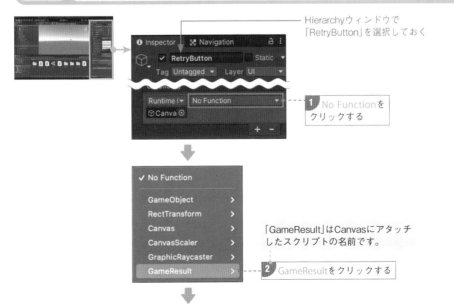

Hierarchyウィンドウで
「RetryButton」を選択しておく

1 No Functionを
クリックする

「GameResult」はCanvasにアタッチ
したスクリプトの名前です。

2 GameResultをクリックする

「OnRetry」は「GameResult」スクリプト内に記述した関数の名前です。

3 OnRetry()をクリックする

On Clickイベントに実行する関数が設定される

これでリザルト画面は完成です。ゲームを実行してゴールすると、リザルトが表示されます。ボタンでリトライできることも確認しておきましょう。

fig ● リザルト画面が表示された！

1 プレイをクリックする

ゲームの動作が確認できたら、再度プレイをクリックして実行を停止しておきましょう。

▷ キャラクターのジャンプ力   `Tips`

この章のサンプルで使用しているキャラクターは、最初からキー操作に合わせて移動する処理が組み込まれています。キャラクターの移動速度やジャンプ力などは、キャラクターに設定されたスクリプト内で管理しています。これらはパラメータ化されているので、Inspectorウィンドウから設定可能です。

Hierarchyウィンドウで Player をクリックして、Inspectorウィンドウの「Third Person Character」コンポーネントを確認してください。Jump Power などのパラメータが用意されています。パラメータを設定して、キャラクターの動きを調整しましょう。

ジャンプ力を調整すれば、障害物を足場にして進入不可ゾーンに上がり、ゴールまでの道筋を大幅にショートカットすることができます。パラメータをうまく活用すれば、ゲームの幅がぐっと広がります。ぜひ試してみてください。

▷ **ハイスコアをクリアする**　　　　　　　　　　　　　　　　　　　　　Tips

　Unityでは、ゲームのセーブデータなどを保存する仕組みとして「PlayerPrefs」という仕組みが用意されています。本書のサンプルでも、PlayerPrefsを使ってハイスコアを記録しています。
　PlayerPrefsに記録されたハイスコアは、ゲームを終了しても消えずに残っています。ハイスコアを消去するには、Edit→Clear All PlayerPrefsメニューを選択します。

6-13　BGMを鳴らしてみよう！

　ここまででゲームとして遊べるようになりましたが、まだゲームを盛り上げる大事な要素であるサウンドが入っていませんね。サウンドの導入はそれほど難しくありませんので、ゲームに取り入れてみましょう。

1　オーディオに対応させる

　オーディオ（Audio）とは、その名の通り音に関する機能です。現実の世界では、自分の右側から発生した音は、右方向から聞こえるのが自然ですね。これはゲームの世界においても同じで、音の発生位置に合わせて聞こえる大きさや方向が変化すると臨場感が増します。
　音を聞く「耳」の役割を持つのが、**Audio Listener**コンポーネントです。音の「発生源」は**Audio Source**コンポーネントを使って設定します。

fig ● 「耳」と「発生源」の関係

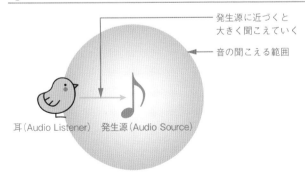

発生源に近づくと
大きく聞こえていく

音の聞こえる範囲

耳（Audio Listener）　発生源（Audio Source）

2　サウンドをインポートする

　BGMや効果音などのサウンドデータは自分で作ってUnityに取り込むこともできますが、アセットストアにはさまざまなイメージのサウンドがあります。今回のゲームで使用するサウンドは、ここからダウンロードして取り込みましょう。

今回は「Action RPG Music Free」を利用します。なお、アセットストアの利用は、Unityアカウントへのサインインが必要です。本書では既にサインインしているものとします。サインインについては225ページを参照してください。

step 1 アセットストアを開く

step 2 アセットを検索する

step 3　アセットをUnityに読み込む

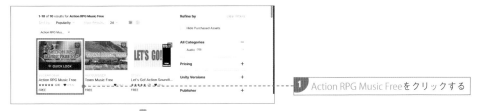

1 Action RPG Music Freeをクリックする

2 Add My Assetsをクリックする

3 Open in Unityをクリックする

この画面の前に「Terms of Service」と表示された画面が出ることがあります。
その場合はAcceptをクリックして先に進んでください。

step 4　「Action RPG Music Free」をインポートする

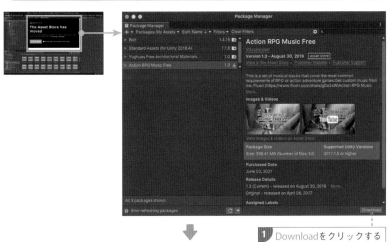

1 Downloadをクリックする

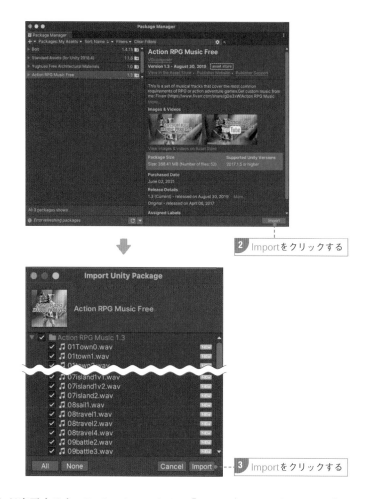

2 Importをクリックする

3 Importをクリックする

インポートが完了すると、Projectウィンドウの「Assets」フォルダーの下に「Action RPG Music 1.3」が追加されます。

fig ● サウンドがインポートされた！

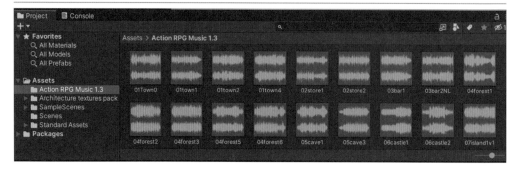

3 「Audio Source」をアタッチする

　サウンドの発生源となるAudio Sourceコンポーネントを、サウンドを発生させるオブジェクトにアタッチします。今回はステージのゴール地点（Goal）から音が出るようにします。ここでは、「11 minigame 1」というサウンドを使います。

step 1　「Audio Source」を追加する

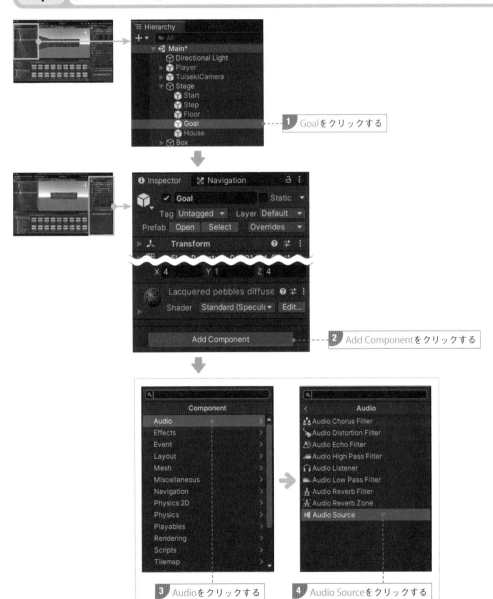

1 Goalをクリックする

2 Add Componentをクリックする

3 Audioをクリックする

4 Audio Sourceをクリックする

step 2 「Audio Source」を設定する

Hierarchyウィンドウで
「Goal」を選択しておく

1 AudioClipの○をクリックする

Projectウィンドウから直接サウンドデータをドラッグ＆ドロップして設定することもできます。

2 11 minigame 1をクリックする

step 3 ループ再生されるように設定する

Hierarchyウィンドウで
「Goal」を選択しておく

1 Loopをチェックする

step 4　3Dサウンドに設定する

Hierarchyウィンドウで
「Goal」を選択しておく

Spatial Blendを設定する
→1

　最後のSpatial Blendの設定を行わないと、音量は常に一定のままになります。これは、デフォルトでは距離を考慮しない2D設定になっているからです。この設定を行うことで3D設定に切り替わり、距離によって音の大きさが変わるようになります。

▷「Audio Listener」の設定

　今の状態でゲームを実行すると、ゴールに近づくにつれて音量が大きくなることが確認できます。でも、ちょっとおかしくないですか？ まだ音を聞く「耳」の役割をする「Audio Listener」を設定していません。それでも、距離に応じて音の大きさが変わっています。
　実は、プレイヤーに追従するカメラに、最初からAudio Listenerが設定されているのです。Audio Listenerは、音を拾うマイクのような役割を持っています。シーン全体の音を拾うためにカメラに設定するケースが多く、デフォルトで用意されている「Main Camera」にもあらかじめ設定されています。
　カメラに設定されたAudio Listenerを無効化してプレイヤーにAudio Listenerを追加すれば、プレイヤーの位置に合わせて音が変化するようにすることもできます。

▷ オリジナルのステージを作ってみよう！

　Chapter6では、アセットの素材を使用してステージを構築したので、作れるステージの形状には制限がありました。ですが、自分の思い通りの形状のステージが作りたいという方もいるでしょう。
　Unity 2021には独自の形状のステージを制作できる「ProBuilder」という機能が用意されています。この機能を使いこなすことで、階段やトンネルなどの単純な形であれば簡単に作成することができます。ProBuilderの機能はとても多く、簡易的なモデリングツールとして使用することができますが、本書のレベルを超えてしまうため使い方については割愛させていただきます。このTipsでは、一歩進んだゲーム制作のためのヒントとして導入方法とツールの紹介をします。

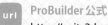 **ProBuilder 公式**
https://unity3d.com/jp/unity/features/worldbuilding/probuilder

　Probuilderは執筆時点（2021年6月）では、最初からUnityには搭載されていません。まずはインストールするところから始めましょう。

　Window→Package Managerメニューを選択します。続けて、「Package Manager」画面でUnity RegistryからProBuilderを選択して、右下のInstallボタンをクリックします。

fig ◉ ProBuilderのインストール

ProBuilderがインストールされるので、さっそく開いてみましょう。Tools→ProBuilder→ProBuilder
Windowメニューを選択します。するとProBuilderの基本メニューが表示されます。ためしに何か作成し
てみたいので、New Shapeを選択してみましょう。

Sceneウィンドウに Shape Toolウィンドウが表示され、マウスカーソルがある位置にも黄色い四角の
アイコンが表示されます。

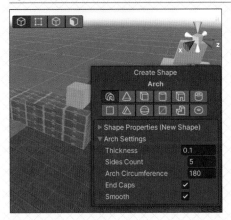

Create Shapeに表示されたアイコンをクリックすることで、作成する形状を選択することができま
す。好きな形を見つけたら、最後にSceneウィンドウ内で黄色い四角をゲームの世界の中に線を引くイ
メージでクリック＆ドラッグ操作をしましょう。引いた線をなぞる形でゲームの世界にオブジェクトが作
成されます。

fig ● 形状を選択する

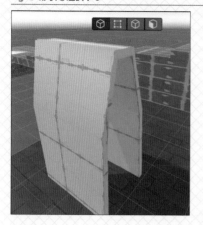

　オブジェクトを作成したら、それをベースに好きな形状を制作していくことになるのですが、本書での解説はここまでにしたいと思います。より詳しい使い方は公式ページを参考にしてください（https://unity3d.com/jp/unity/features/worldbuilding/probuilder）。

完成

　これでゲームは完成です。サウンドを組み込むことで、ゲームに臨場感が出ましたね。床の長さや障害物の位置を変更したり、プレイヤーのジャンプ力を調整すれば、バリエーション豊かなステージを作ることができます。ぜひ挑戦してみてください。
　Chapter6では3Dゲーム作り方を学びました。次の章では、作成したゲームをスマートフォンに対応させていきます。

これで完成！

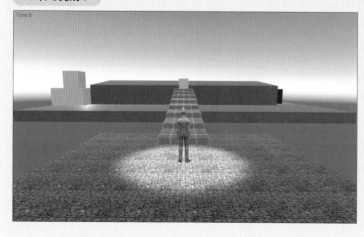

Chapter 7

スマートフォン向けに改良しよう！

で作るサンプル

　Chapter7では前章で作成した3Dゲームをスマートフォン向けに改良していきます。Unityでは簡単にiPhoneやAndroid向けのゲームを作ることができます。作成したゲームをスマートフォンで動かせるようにして、実機でテストを行いましょう。

　Chapter7では、主に以下の内容を学んでいきます。

- スマートフォン用プロジェクトの作り方
- スマートフォンの操作への対応方法
- 実行時の負荷の減らし方
- iPhoneでの実行方法
- Androidでの実行方法

Chapter 7 で作るサンプルの完成イメージ

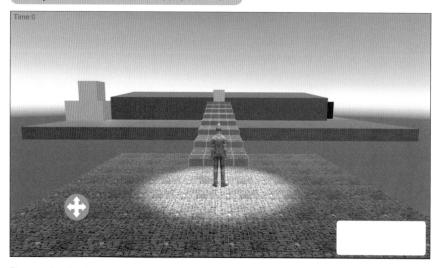

📁 **サンプルプロジェクト→ StageRunMobile**
https://isbn2.sbcr.jp/10982/ よりダウンロード

7-01 スマートフォン用のプロジェクトを作成しよう！

Chapter6で作成したゲームをスマートフォン用に改良します。まずは、スマートフォン向けのプロジェクトを作成することから始めましょう。

1 プロジェクトをエクスポートする

Chapter6で作成したゲームを**エクスポート（書き出し）**して、それを新しいプロジェクトに**インポート（取り込み）**します。環境によってはエクスポートが終わるまで少し時間がかかるので、ゆっくり待ちましょう。

step 1 プロジェクトを読み込む

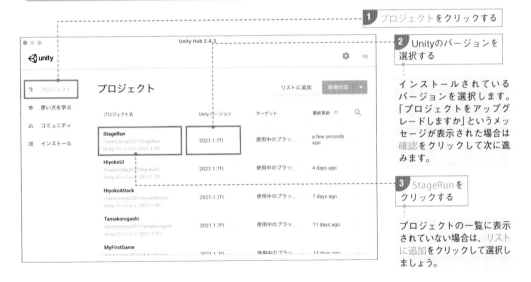

1 プロジェクトをクリックする

2 Unityのバージョンを選択する

インストールされているバージョンを選択します。「プロジェクトをアップグレードしますか」というメッセージが表示された場合は確認をクリックして次に進みます。

3 StageRunをクリックする

プロジェクトの一覧に表示されていない場合は、リストに追加をクリックして選択しましょう。

step 2 プロジェクトをエクスポートする

1 Assetsをクリックする

2 Export Packageをクリックする

3 Export をクリックする

4 パッケージ名を入力する
→StageRun

5 保存先を指定する（任意のフォルダー）

6 Save をクリックする

2 プロジェクトをインポートする

プロジェクトを作成して、エクスポートされたパッケージを読み込みます。読み込みには少々時間がかかるので、終わるのをゆっくり待ちましょう。

step 1 プロジェクトを作成する

1 File をクリックする

2 New Project をクリックする

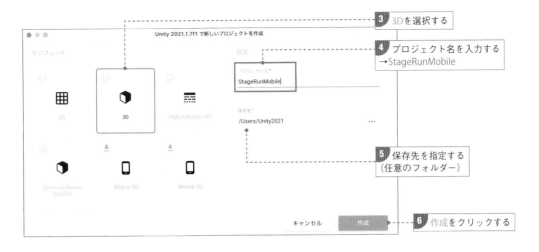

3 3Dを選択する

4 プロジェクト名を入力する
→StageRunMobile

5 保存先を指定する
（任意のフォルダー）

6 作成をクリックする

---

step 2 　プロジェクトをインポートする

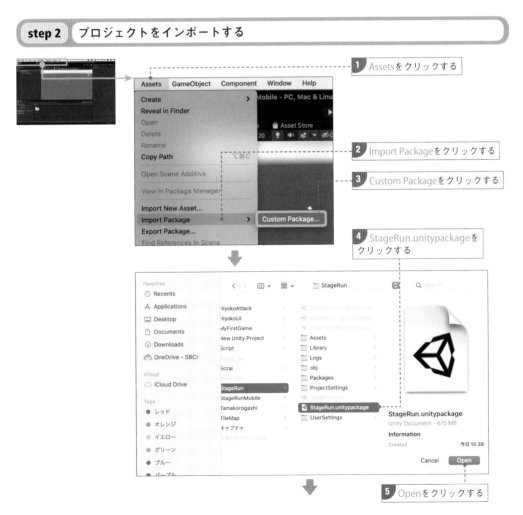

1 Assetsをクリックする

2 Import Packageをクリックする

3 Custom Packageをクリックする

4 StageRun.unitypackageを
クリックする

5 Openをクリックする

6 Importをクリックする

step 3 「Main」シーンを開く

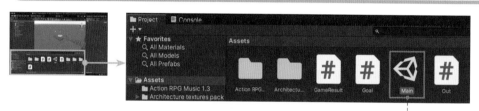

1 Mainをダブルクリックする

fig ● プロジェクトとシーンが準備された！

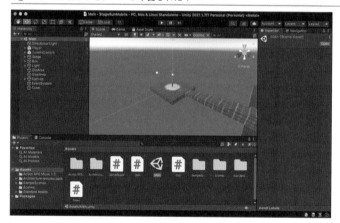

3 スマートフォン向けに設定する

スマートフォン用の実行ファイルを作成できるように、プラットフォームを変更します。画面のアスペクト比もスマートフォン向けに変更しましょう。

Unityでは、プラットフォームをiPhoneやAndroid、コンシューマ向けゲーム機などから選択することができます。**ここではiPhone向けの設定にしていきます。**設定は「Build Settings」から行います。設定後は画面左上（Windowsは画面右上）の×をクリックしてBuild Settingsを閉じます。

なお、iPhoneやAndroidスマートフォン向けにビルドするためには、iOSビルドとAndroidビルドに関するパッケージデータをUnity本体に別途追加する必要があります（詳しくは22ページをご参照ください）。Unityをインストールする際に「iOS Build Support」または「Android Build Support」「Android SDK & NDK Tools」「OpenJDK」を選択していなかった場合は、それぞれのプラットフォーム（「iOS」あるいは「Android」）をクリックした時に表示されるOpen Download Pageボタンをクリックして、プラットフォームのサポートデータをダウンロードしてください。ダウンロードしたデータを実行すれば、パッケージデータをインストールすることができます。

---

step 1 プラットフォームを変更する

1 Fileをクリックする

2 Build Settingsをクリックする

3 iOSをクリックする

Android向けに設定する場合はAndroidをクリックしてください。

4 Switch Platformをクリックする

335

これで、iPhone向けの設定ができました。Android向けに設定する場合は、Build Settingsで「Android」を選択し、ご使用のデバイスに合わせたアスペクト比を指定してください。

なお、プラットフォームが変更されているので、ゲームを実行しても**キーボードの操作は受け付けなくなっている**ので、ご注意ください。

7-02 スマートフォンの操作に対応させよう！

スマートフォンにはキーボードはありません。そのため、これまではキー入力で行っていた操作を別の方法に置き換える必要があります。今回のようなアクションゲームの場合、ゲーム画面に仮想コントローラを配置してプレイヤーを操作するとよさそうです。

1 ジョイスティックを設定する

ジョイスティックというゲーム画面上に表示する仮想コントローラを設置してプレイヤーを操作できるようにします。Chapter6でプロジェクトにインポートしたStandard Assetsには、「CrossPlatformInput」という、さまざまな環境でプレイできるような入力機能のアセットがありますので、これを利用していきます（Standard Assetsについては226ページを参照してください）。

CrossPlatformInputの機能は、Projectウィンドウの「Assets」フォルダーからStandard Assets→CrossPlatformInput→Prefabsと辿った先にまとまっています。今回使用するのは、仮想ジョイスティックとボタンがセットになった「MobileSingleStickControl」です。

step 1 「MobileSingleStickControl」を追加する

1 Standard Assets→CrossPlatformInput→Prefabsをクリックする

2 MobileSingleStickControlをクリックする

3 ProjectウィンドウのMobileSingleStickControlをHierarchyウィンドウにドラッグ＆ドロップする

CrossPlatformInputの機能は、基本的にiOSやAndroidなどのモバイル端末で正常に動作するようになっています。Unityでは特に何もしていなければ、「PC Standalone」というPC向けのプラットフォームになっています。その場合はモバイル向けに作られているコントローラは表示されないので注意してください。

Gameビューに切り替えて、表示を確認してみましょう（Gameビューの表示サイズを調整して、画面全体が映るようにしましょう）。

fig ● ジョイスティックとボタンが表示された！

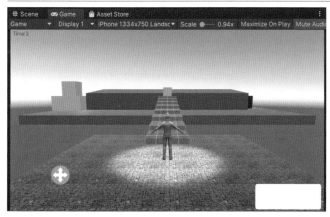

2 処理の負荷を下げる

　作成したゲームをスムーズに進行させるためには、PCやスマートフォンに限らず処理の負荷を少しでも下げることはとても大切です。特にスマートフォンはPCに比べてハードスペックが限られており、負荷の問題はスマートフォンゲームを作る際の致命的な欠陥になりかねません。

■ Occlusion Culling

　Unityでは、カメラを通して映っている範囲のみを画面上に描画しています。

fig ● Unityの描画

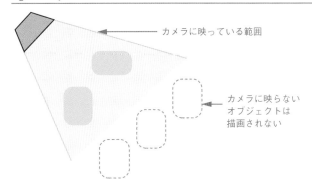

カメラに映っている範囲

カメラに映らない
オブジェクトは
描画されない

　では、次の図のような場合はどうでしょうか？ カメラの描画範囲には入っているのですが、カメラから見て手前にある壁などが視界を遮り、その後ろにあるオブジェクトが隠れてしまっている場合です。こういった場合、実はカメラには映らなくとも描画処理は行われています。ですが、このような場合に**カメラに映っていない（つまりGameビューに表示されていない）オブジェクトを描画しない**ようにしてくれるのが、「Occlusion Culling」という機能になります。

fig ● 範囲内にあってもカメラから見えていないオブジェクト

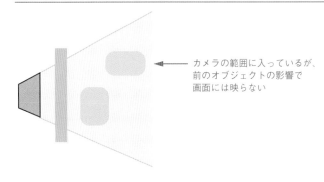

カメラの範囲に入っているが、
前のオブジェクトの影響で
画面には映らない

Occlusion Cullingを使うための準備

作成中のゲームにOcclusion Cullingを適用してみます。ステージ作りに使用したオブジェクトをまとめた「Stage」に対して設定を行います（オブジェクトをまとめる方法は292ページを参照してください）。

Occlusion Cullingを使用するためには、対象となるオブジェクトを「Static」に設定する必要があります。ステージをまとめた空のオブジェクトStageを選択し、Inspectorウィンドウで Staticにチェックを入れます。こうすることで、そのオブジェクトの設定はゲーム実行中に変更しないことをUnityに認識させます。

fig ● オブジェクトを「Static」にする

「親」オブジェクトのStaticにチェックを入れると、「子」オブジェクトもまとめて設定を適応するか確認する画面が表示されます。Yes, change childrenをクリックしましょう。

fig ● 「子」オブジェクトもまとめてStaticにする

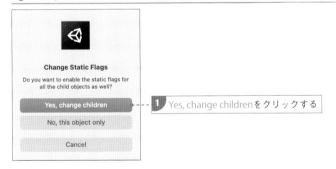

Occlusion Cullingの設定

準備ができたので、Occlusion Cullingを設定していきます。Window→Rendering→Occlusion Cullingメニューを選択します。Occlusionウィンドウが表示されるので、Visualization→Bakeをクリックしてください。

Hierarchyウィンドウでカメラを選択して、Sceneビューで描画を確認しましょう。画面の奥のカメラに映らない「Goal」のオブジェクトが消えているのがわかります。

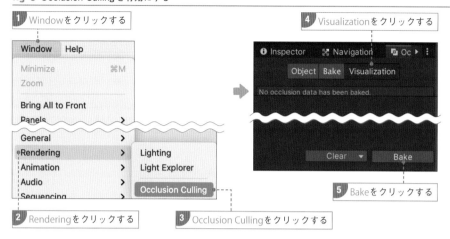

fig ◆ Occlusion Culling を有効にする

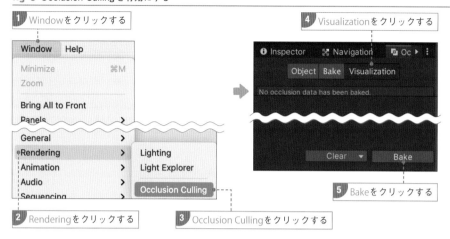

fig ◆ カメラに映らないオブジェクトは画面から消去される（画像では Goal が消去）

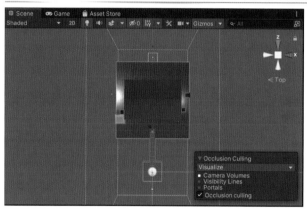

7-03 スマートフォンで動かそう！

プロジェクトをビルドして iPhone で動かせるようにしましょう。Unityでは、iPhoneや Androidスマートフォン上で作成したゲームを実行させることが可能です。お手持ちのスマートフォンを作業中のPCにUSBケーブルで接続して試してください。

1 iPhone で動かす

プロジェクトをビルドし、iPhoneに転送して動かします。

■ Xcodeのインストール

作成したゲームをiPhoneで動かすためにはmacOSとXcodeが必要です。以下のサイトから Xcodeを入手して、インストーラーに従ってインストールを行います。

Xcodeのダウンロードには Apple IDが必要となります。既存のIDを使用するか、新しくID の作成を行ってください。

 Xcodeのダウンロード
https://developer.apple.com/xcode/

■ iPhone向けにビルドする

File→Build Settingsメニューで「Build Settings」を開き、Scenes In BuildにProjectウィンドウ からMainシーンをドラック&ドロップします。続けて、Player Settingsボタンをクリックします。 なお、iPhoneに対応したプラットフォームへの変更は既に行ってあるものとします（335ページを 参照してください）。

fig ● 「Player Settings」を開く

Project Settingsウィンドウで、Company Nameを入力します。書籍では「Unity2021」と入力 します。読者のみなさまが入力する際には、Company Nameが他の人の登録名と被らないよう に値を調整してください。

fig ● 「Company Name」を入力する

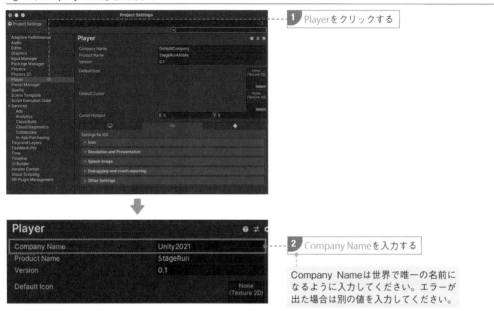

① Playerをクリックする

② Company Nameを入力する

Company Nameは世界で唯一の名前に
なるように入力してください。エラーが
出た場合は別の値を入力してください。

ビルドを実行します。Build Settingsに戻って、Buildボタンをクリックしてください。

fig ● ビルドを実行する

① Buildをクリックする

New Folderをクリックし保存するフォルダーの名前を入力しCreateをクリックします。作
成されたフォルダーをChooseをクリックして保存先に指定します。

fig ● 「New Folder」をクリックする

fig ● 保存するフォルダーの名前を指定する

fig ● 「Choose」をクリックする

ビルドが完了すると保存先のフォルダーが表示されるので、その中にある「Unity-iPhone.
xcodeproj」をダブルクリックします。これでXcodeが開きます（その際にXcodeの変更の許可
を求めるダイアログが開くことがあります。確認のうえ、許可して先に進んでください）。

fig ● Xcodeを開く

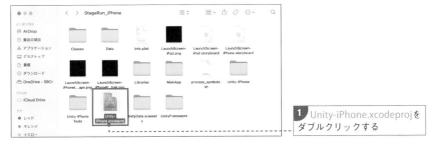

Chapter 7 スマートフォン向けに改良しよう！

343

Xcodeを設定する

Xcodeに Apple IDのアカウントを登録します。

fig ● アカウントを登録する

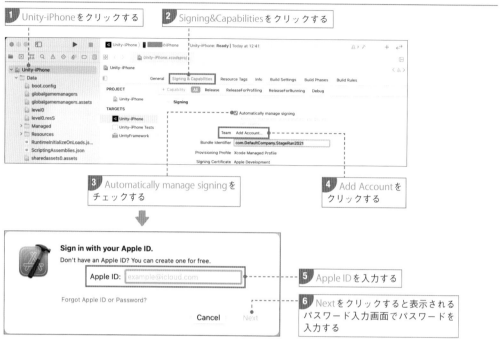

Xcode画面に戻り、Team部分で登録したアカウントを選択します。画面左上の実行ボタンをクリックすると、USBケーブルで接続したiPhoneにインストールが行われます。インストールの際には、iPhoneのロックは解除しておきましょう。

fig ● iPhoneにインストールする

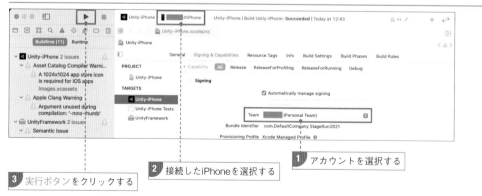

インストールが完了したら、実行してみましょう。なお、Company Nameに設定した値（342ページ参照）が他の誰かが設定したものと被っている場合は、ここでエラーが発生します。その際は他と被らないように設定し直してください。また、実行の際にアクセス許可を求める画面が表示されることがあります。その場合は許可して先に進んでください。

iOS端末で検証を行う際に、端末側でデベロッパ登録が必要になる場合があります。その場合は「設定」→「一般」→「デバイス管理」などから登録を行ってください。

2 Androidで動かす

Android端末向けにビルドして、インストールを行います。

■ Android Studioのインストール

Android端末にゲームをインストールするためには、**Android Studio**が必要となります。Android Studioは以下のサイトから入手可能です。

Android Studio
https://developer.android.com/studio/index.html

なお、Androidのビルドに必要なモジュールは、Unity Hubからインストールすることが可能です。本書では必要なモジュールを既にインストールしてあるので、Android Studioをインストールしなくても、そのままAndroid向けにビルドを行うことができます。モジュールのインストールに関してはChapter1（26ページ）を参照してください。

Android Studioの設定については、本書の特設WIKIでも解説しております。

特設WIKI
https://www.unitybeginner.jp/

■ プラットフォームの変更

Build Settingsを開き、Scenes In BuildにProjectウィンドウからMainシーンをドラッグ&ドロップします。続けて、プラットフォームを「Android」に変更します。また、アスペクト比をお使いの端末に合わせて設定します。

fig ● プラットフォームを変更する

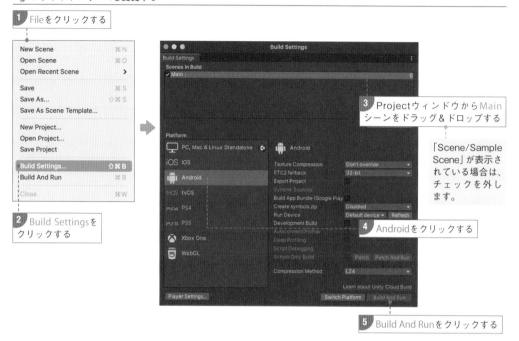

1 Fileをクリックする

2 Build Settingsを
クリックする

3 ProjectウィンドウからMain
シーンをドラッグ＆ドロップする

「Scene/Sample
Scene」が表示さ
れている場合は、
チェックを外し
ます。

4 Androidをクリックする

5 Build And Runをクリックする

fig ● アスペクト比を設定する

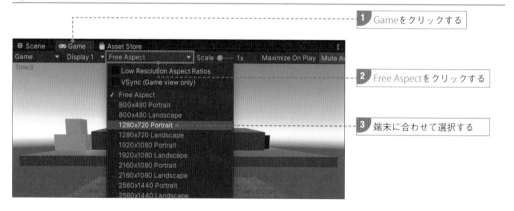

1 Gameをクリックする

2 Free Aspectをクリックする

3 端末に合わせて選択する

🔖 Android端末へ書き出す

File→Build Settingsメニューで「Build Settings」を開き、Player Settingsボタンをクリック
します。

Project SettingsウィンドウでCompany Nameを入力します。書籍では「Unity2021」と入力
します（Company Nameの部分は独自の値を入力してください）。

fig 🔴 Player Settings を開く

1 File をクリックする

2 Build Settings を
クリックする

3 Player Settings をクリックする

fig 🔴 「Package Name」を入力する

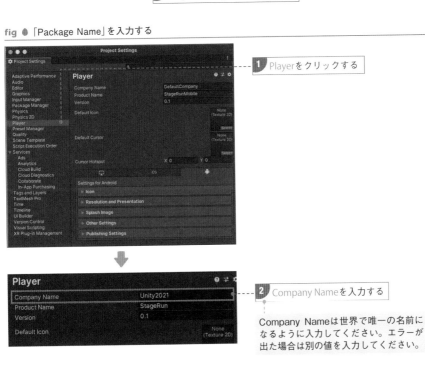

1 Player をクリックする

2 Company Name を入力する

Company Name は世界で唯一の名前に
なるように入力してください。エラーが
出た場合は別の値を入力してください。

ビルドを実行してAndroid端末で実行します。Build Settingsに戻って、Build And Runボタンをクリックしてください。ビルドの際には、Android端末のロックは解除しておきましょう。

fig ● ビルドと実行を行う

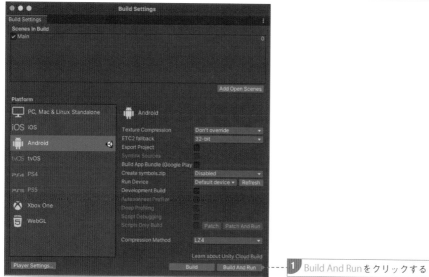

Save Asにapkファイルの名前を入力してSaveボタンをクリックします（Whereはフォルダーの保存先です。ここではデフォルトのまま進めます）。

fig ● apkファイル名を指定する

これで保存先のフォルダーにapkファイルが作成されると同時に、USBケーブルで接続されたAndroid端末上でゲームが実行されます。

fig ● apkファイルが作成される

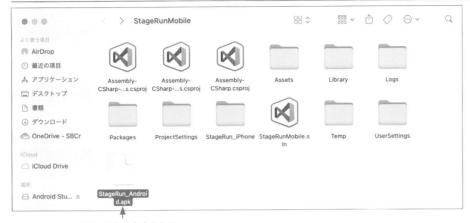

↑
apkファイルが作成される

　実行環境によっては、Android端末側で開発者向けオプションを設定する必要があります。開発者向けオプションは、「設定」→「端末情報」などから行ってください（機種やOSのバージョンによって操作が異なる場合があります）。「開発者向けオプションをONにする」「USBデバッグをONにする」などの設定を行います。

▷ Unityを使ったVR開発

　Unityを使えば簡単にVR（Virtual Reality）に対応したゲームを制作することが可能です。実際に多くのVRゲームがUnityを使って制作されています。

　File→Build Settingsメニューを選択してBuild Settings画面を開き、Player Settingsをクリックします。続けて、Player SettingsウィンドウでXR Plugin ManagementからInstall XR Plug-in Managementをクリックして、Oculusなどを有効化します。これだけで、VR対応のゲームを制作することができます（ただしVRデバイスが求めるPCスペックを満たす必要があります）。VRデバイスに興味がある読者は、ぜひUnityを使いVRデバイス制作にも挑戦してみてください。

fig ● VRデバイスを選択する

▷ Unityを日本語化してみよう

Unity 2021では、メニューなどを日本語化することができます。日本語化を行うには、日本語用のモジュールをインストールする必要があります。モジュールのインストールはUnity Hubから行います。なお、本書の執筆時点（2021年6月）では、日本語モジュールはプレビュー版となっています。

▷ 日本語モジュールのインストール

最初に日本語モジュールのインストールを行います。Unity Hubを起動し、インストールをクリックして、日本語化を行うUnityにモジュールを追加します。

fig ● 日本語モジュールをインストールする

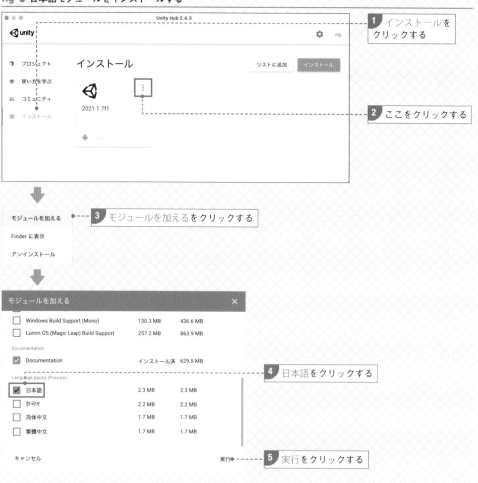

Tips

▷ **メニューを日本語化する**

日本語モジュールをインストールできたら、Unity Hubからプロジェクトを開きます。

起動後に、Unity→Preferencesメニュー（WindowsではEdit→Preferencesメニュー）を選択して、「Preferences」ウィンドウを開きます。

fig ● Preferences を開く

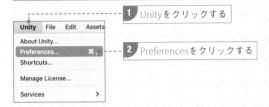

Languagesタブを開き、Editor languageを「日本語」に変更します。

fig ● 日本語に設定する

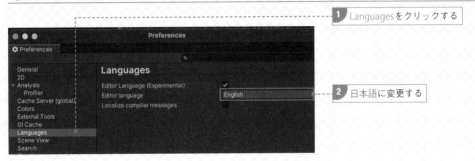

これでUnityが日本語化されます。設定を変えてもすぐに日本語にならない場合は、Unityを再起動してください。

fig ● Unity が日本語化された！

Chapter 7　スマートフォン向けに改良しよう！

▷ Device Simulatorについて

Device SimulatorがUnity2021からUnityの標準機能として追加されました。Device Simulatorを使えばターゲットとするデバイスでどのように表示されるかを確認することが可能です。スマートフォンゲームを作成する時には、この機能を使えば簡単にどのように表示されるか簡単に確認できます。

Device Simulatorを使うためには、GameビューからSimulatorに切り替えるだけで使用することが可能です。

これはiPhone 11を選択した例ですが、ターゲットとするデバイスでどのように表示されるかが簡単に確認できます。選択できるデバイスはiOSやAndroidのデバイス様々あります Rotateをクリックすると、表示の向きを簡単に変えることもできます。

完成

ここでは、ゲームをスマートフォン用に作り替えて、iPhoneとAndroid端末で動かせるようにしました。iPhoneとAndroid端末向けのビルドファイルを、1つのゲームから作り出すことができるのはUnityの大きな強みです。さまざまなプラットフォームに向けたゲーム制作にチャレンジしていきましょう。

これで完成！

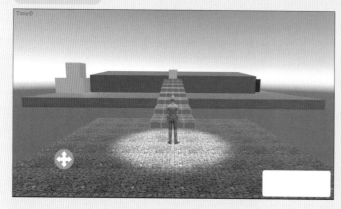

Index

■ おわりに

　最後までこの本を読んでいただきありがとうございました。この本を通して、Unityにさらに興味を持っていただけたら大変うれしく思います。今回、2020年8月に出版した「Unity2020入門」をUnity 2021向けにリメイクした本書を執筆させていただきました。近年では、Unityはゲームや映像のクリエイターではない人でも現場のプロと同じクオリティで絵作りができるように、これまで有料だった様々な機能を誰でも使えるように無料で解放されてきています。Unityは「ゲーム開発の民主化」という標語を掲げ、これまで普及を進めてきました。今では個人制作者や学生はもちろんのこと、ゲーム業界や映像業界、医療や自動運転の研究でも使われており、民主化の波はまだまだ広がり続けています。

　よりUnityを学びたくなったのなら、インターネットを活用してください。全世界の先人達のこれまでの知識と経験が蓄積されています。民主化を進めてきたからこそ初心者からプロレベルまで幅広い人の知識を探すことができます。あきらめずに頑張れば難しい課題も少しずつ前に進めることでしょう。

　ゲーム開発の9割は情熱で残りが技術であると我々は考えています。まず、情熱がなければ良いアイディアも生まれませんし、面白いゲームにはなりません。最初のうちは、技術は作りたいものを作るための手段として必要な分だけ習得すれば十分です。そしてそれらを積み重ねていくことであなたの思い描いていたゲームが完成しますし、クリエイターとしてのレベルも上がります。もし、あなたがゲームクリエイターを目指すのであれば、作りたいゲームを1本完成させてみてください。そして、余裕があれば、友人やネットに公開してみましょう。完成させるのはとても難しいことですが、そこに到達するまでに多くのことを学ぶことでしょう。それができたのなら、あなたはクリエイターとして1つ上のステージに上がっているはずです。この本をきっかけに、あなたが夢見ていた素敵なゲーム開発の第一歩を踏み出せることを願っています。

荒川巧也、浅野祐一

■本書サポートページ

https://isbn2.sbcr.jp/10982/

本書内で紹介しているサンプルプロジェクトならびにプログラムの制作に必要なファイルは、本書サポートページからダウンロードすることができます。上記のURLをご参照ください。
また、本書をお読みになったご感想、ご意見など、お気づきになった点がございましたらお寄せください。

■特設Wiki

https://www.unitybeginner.jp/

本書執筆陣によるUnityの入門者向け解説サイトを開設しました。Unityでのゲーム制作に役立つテクニックを紹介していますので、ぜひお立ち寄りください。

著者プロフィール

☆ 荒川 巧也

ユニティ・テクノロジーズ・ジャパン株式会社所属。ユニティではトレーナーとして企業向けにUnityの導入講座の実施やUnityを使ったコンテンツ開発における実装方法についてコンサルティング作業を行っている。また大学や専門学校など学校教育の中でUnityを導入してもらうためのサポート業務も行っている。

☆ 浅野 祐一

現役ゲームエンジニア。過去にコンシューマーゲーム開発に携わっていたが、Unityと出会ってからはスマートフォンゲームのクリエータとして活躍中。好きな動物はひよこと鶏。

Unity2021入門　最新開発環境による簡単3D＆2Dゲーム制作

2021年 7月30日　初版第1刷発行

著者 ‥‥‥‥‥‥‥‥‥‥‥‥‥荒川 巧也　浅野 祐一
発行者 ‥‥‥‥‥‥‥‥‥‥‥小川 淳
発行所 ‥‥‥‥‥‥‥‥‥‥‥SBクリエイティブ株式会社
　　　　　　　　　　　　　〒106-0032　東京都港区六本木2-4-5
　　　　　　　　　　　　　TEL 03-5549-1201（営業）
　　　　　　　　　　　　　https://www.sbcr.jp

印刷 ‥‥‥‥‥‥‥‥‥‥‥‥株式会社シナノ
本文デザイン/組版 ‥‥‥‥‥クニメディア株式会社
装丁 ‥‥‥‥‥‥‥‥‥‥‥‥宮下 裕一
イラスト ‥‥‥‥‥‥‥‥‥‥畠山 剛一

Printed in Japan ISBN978-4-8156-1098-2